Le bonheur
est un choix,
l'équilibre
un moyen

Données de catalogage avant publication (Canada)

de Palma, Maryse

Le bonheur est une choix, l'équilibre un moyen

(Collection Psychologie)

ISBN 2-7640-0740-X

1. Bonheur. 2. Tranquillité d'esprit. 3. Santé. 4. Esprit et corps. 5. Réalisation de soi. I. Titre. II. Collection: Collection Psychologie (Éditions Quebecor).

BF575.H27D42 2003   158.1   C2003-940083-2

LES ÉDITIONS QUEBECOR
7, chemin Bates
Outremont (Québec)
H2V 4V7
Téléphone: (514) 270-1746

© 2003, Les Éditions Quebecor
Bibliothèque nationale du Québec
Bibliothèque nationale du Canada

Éditeur: Jacques Simard
Coordonnatrice de la production: Dianne Rioux
Assistant à la production: Daniel Jasmin
Conception de la couverture: Bernard Langlois
Illustration de la couverture: Andrew Judd/Masterfile
Photo de l'auteure: Normand Blouin/Agence Stock Photo
Infographie: Composition Monika, Québec

Nous reconnaissons l'aide financière du gouvernement du Canada par l'entremise du Programme d'Aide au Développement de l'Industrie de l'Édition pour nos activités d'édition.

Gouvernement du Québec – Programme de crédit d'impôt pour l'édition de livres – Gestion SODEC.

Imprimé au Canada

MARYSE DE PALMA

Le bonheur est un choix, l'équilibre un moyen

LES ÉDITIONS
Quebecor
QUEBECOR MEDIA

Remerciements

Je remercie ma mère, mon père et ma sœur Sylvie qui sont aujourd'hui décédés mais qui m'ont inspirée grâce à leur authenticité, à leur courage et à leur détermination.

Je remercie mon conjoint André pour son soutien inconditionnel et son aide pour la correction.

Enfin, je remercie toutes les personnes qui ont cru en mon projet d'écriture et qui m'ont encouragée au cours de ce processus.

Introduction

La vie nous conduit parfois dans des espaces inconnus qui nous mettent en contact avec notre vide intérieur. Nos certitudes tombent et nos croyances sont remises en question, nous laissant avec une sensation d'inconfort. Ces périodes de transition que l'on traverse après un deuil, une séparation, une perte d'emploi ou toute autre situation qui exige un changement et une adaptation, nous amènent à nous redéfinir.

Certains optent pour le suicide, étant incapables de supporter de voir leur monde s'écrouler, d'autres se laissent glisser jusqu'au bord de l'abîme, laissant à la vie le soin de s'occuper de leur sort. D'autres encore profitent de ces épreuves pour faire un grand ménage intérieur et arrivent à y trouver un sens. Leur perception se modifie et ils comprennent que la situation éveille leur conscience sur la nécessité d'apporter des changements dans leur vie. Ils découvrent en eux des trésors cachés, des forces leur permettant d'accéder au meilleur de leur être. La vie fournit en effet plusieurs occasions de puiser dans ces trésors que chacun possède, mais encore faut-il les découvrir, voire savoir qu'ils existent.

J'aimerais partager avec vous les grandes étapes de ma vie, que la plupart qualifieront d'épreuves, mais qui m'ont permis de

créer une façon de vivre basée sur un équilibre physique, psychologique et spirituel. Ce livre a donc pour but principal d'aider tous
ceux qui souffrent, qui s'interrogent sur le sens d'une épreuve et
qui désirent améliorer leur vie sur tous les plans. Il traite des questions suivantes : comment retrouver la santé, l'harmonie, la joie de
vivre ; comment devenir créateur de sa vie plutôt que de la subir ;
comment se renforcer face à la vie ; comment se préparer à accueillir les événements comme des occasions enrichissantes
d'évoluer sans que ceux-ci viennent nous déstabiliser dans les
divers aspects de notre vie.

L'ouvrage se compose de cinq parties. Dans la première, je
relate l'histoire de ma vie en mettant l'accent sur les nombreuses
pertes que j'ai vécues et sur la façon dont j'ai utilisé ces événements pour m'enrichir et me construire une identité plus forte.
Dans les trois parties suivantes, je dresse un inventaire des différents moyens que j'ai mis en place pour améliorer ma santé sur
tous les plans et qui me permettent aujourd'hui de jouir d'un
bien-être toujours grandissant, car chaque année m'apporte plus
de connaissances et de sagesse. Finalement, dans la cinquième
partie, j'aborde l'utilisation de ces moyens dans le quotidien, afin
de maintenir chaque jour l'équilibre nécessaire pour affronter les
défis de l'existence.

PREMIÈRE PARTIE

Mon histoire

Chapitre 1

Mon cheminement de vie

La famille est le lieu d'apprentissage par excellence, car il nous met en contact avec un système de valeurs et nous plonge dans un rôle spécifique que l'on est appelé à jouer pour maintenir la structure en équilibre...

Malgré l'abondance matérielle, je suis née dans une famille dysfonctionnelle de quatre enfants dont je suis la benjamine. J'ai grandi dans un des quartiers les plus huppés de l'ouest de Montréal: Hampstead. Nous habitions une superbe maison de style colonial érigée sur un grand terrain rempli d'arbres centenaires.

À cette époque, la situation conjugale de mes parents empirait de jour en jour. Ma mère, qui était une femme belle, très cultivée et d'une intelligence exceptionnelle, avait épousé un homme plutôt dure et autoritaire. Ayant perdu son père à l'âge de deux ans, ma mère avait été attirée par l'assurance et la rationalité de cet homme. Avec les années, leur vie était devenue un véritable enfer, de sorte que ma mère ne pouvait plus supporter la tyrannie et l'agressivité de son conjoint. La charge de trois enfants était un fardeau pour elle, qui déjà ne se plaisait plus dans son rôle de mère. Comme les principes de l'époque du début des années soixante ne toléraient pas l'avortement, elle m'a donc portée jusqu'à terme avec angoisse et appréhension.

L'accouchement fut extrêmement long et pénible. Ma mère y laissa presque sa peau. Je ne semblais pas vouloir entrer dans ce monde, étant née dix jours en retard et par les pieds. Nous aurions pu toutes les deux mourir, mais grâce à notre entêtement et à notre détermination, nous avons survécu.

J'étais un gros bébé de 4 kilos. Le cœur de ma mère se remplit d'amour à la vue de mes yeux bleus qui pétillaient et de mes petites fossettes. Mon père, comme toujours, brillait par son absence. Mes trois sœurs, de cinq à dix ans mes aînées, furent profondément déçues de ne pas avoir un petit frère. Néanmoins, ce fut l'admiration devant mes yeux bleus. Je devins leur petite poupée, celle qu'on berçait, qu'on cajolait.

Jusqu'à l'âge de deux ans, l'affection ne me manqua pas, malgré un père peu présent. Ma mère passait des heures à me bercer en me fredonnant des berceuses tristes. Mon petit corps chaud contre sa poitrine apaisait ses angoisses toujours plus fréquentes.

Lorsque j'ai eu deux ans, ma mère fut hospitalisée pendant trois mois pour une dépression. J'ai réagi à cet abandon par de la somatisation. J'avais des poussées de fièvres inexpliquées et j'étais presque constamment constipée, ce qui symbolise, selon la théorie psychanalytique, la mise sous garde de l'objet d'amour. Inconsciemment, j'avais l'illusion de contrôler ma mère en la gardant dans mon corps pour éviter qu'elle disparaisse à jamais.

Cette épreuve a ébranlé ma sécurité affective et m'a rendue méfiante face à la vie. Lorsqu'un enfant de cet âge est séparé de sa mère pour une durée aussi longue, il traverse plusieurs phases. Au début, il pleure, il crie et il cherche par tous les moyens à attirer l'attention pour que sa mère accoure à son chevet. Devant l'absence de résultats, il entre dans une autre phase de détachement progressif, où l'espoir de retrouver sa mère se trouve anéanti. Il devient apathique et peut même tomber dans une profonde dépression. Pour ma part, sans devenir dépressive, j'ai ressenti une grande insécurité affective qui m'a amenée, d'une part, à être très contrôlante envers ceux que j'aimais et, d'autre part, à être farouchement indépendante et autosuffisante.

Au retour de ma mère, les drames se sont succédé jusqu'à ce que, quelques mois plus tard, elle tente de s'enlever la vie et passe à un cheveu d'y rester. Étant profondément sensible, je sentais bien le désespoir de ma mère et son désir ardent d'y mettre fin. Je voulais donc la sauver. J'allais la voir quand elle pleurait et je voulais tout savoir. Je n'ai en fait aucun souvenir d'un moment familial vécu dans l'harmonie. Je me rappelle les cris et les pleurs. Je me souviens des anniversaires ratés, des gâteaux jetés aux ordures, des menaces, de l'agressivité de mon père.

Mon père était violent. Il accrochait toujours une ceinture en cuir dans la cuisine; elle servait à «corriger» les enfants qui osaient le contredire ou lui tenir tête. Je fus la plus épargnée. Il ne m'a frappée qu'une seule fois, à l'âge de quatre ans, car il m'avait trouvée impolie. Je m'étais sauvée de lui et, lorsqu'il s'est approché de moi d'un air repentant, je lui ai fait comprendre dans mon langage d'enfant que plus jamais il ne me toucherait. Il ne m'a plus jamais touchée.

Ce qui me faisait le plus souffrir, c'était d'être négligée et de me faire répondre que j'étais trop jeune pour comprendre. Je me sentais inutile et même de trop dans ce manège infernal. Je n'étais pas comme les autres enfants, qui courent pleurer dans leur chambre, la tête sous l'oreiller, pour ne plus entendre les cris. Je voulais tout voir, tout comprendre, à la limite tout arranger. J'ai donc adopté un rôle de *sauveuse*. J'ai même appris mon anglais en tentant de déchiffrer les messages secrets qu'on échangeait pour m'épargner de dures vérités!

Mon enfance fut donc plutôt sombre et la tempête ne fit que s'aggraver avec les années. Les tentatives de suicide devinrent une habitude de vie pour certains membres de ma famille. Ma sœur Sylvie, de huit ans mon aînée, était particulièrement sensible et courageuse. Elle défendait régulièrement ma mère et n'avait pas peur d'affronter mon père, malgré les coups qu'il lui infligeait. Très jeune, elle fut habitée d'une grande révolte alimentée par les ouvrages existentialistes qu'elle dévorait. À 12 ans, elle récitait des passages de Jean-Paul Sartre avec une véhémence et une lucidité peu commune pour son âge. Ma mère ressentait un profond découragement face à son comportement.

J'adorais Sylvie. J'admirais son allure de mannequin, avec sa grande taille (1,78 m), ses longs cheveux bruns, ses grands yeux noirs tristes, son style décontracté. Elle me vouait un amour inconditionnel et, malgré notre différence d'âge, une grande complicité s'est rapidement tissée entre nous. Étant jeune, elle me berçait, me racontait des histoires, me consolait lorsque j'étais triste. À l'âge de 18 ans, alors que j'en avais 10, Sylvie reçut le diagnostic de schizophrène et dut prendre des médicaments pour le reste de sa vie.

L'adolescence fut pour moi une période de libération et de révolte. J'avais envie de vivre ma vie, moi qui avais été privée d'une vie sociale normale, n'ayant pas le droit d'inviter des amis à la maison. Mes parents avaient divorcé un peu avant mes 12 ans. Je vivais seule avec ma mère avec qui j'entretenais une relation oscillant entre la fusion et la guerre.

Étant incapable de faire le deuil de la perte de notre belle maison de Hampstead, ma mère ne trouva pas le courage de chercher assidûment un logement. Elle se laissa convaincre par une amie d'emménager dans un appartement à côté de chez elle situé à Saint-Laurent (aujourd'hui un arrondissement de Montréal). Ne pouvant s'adapter à sa nouvelle vie de dépossession matérielle, ma mère préféra fuir la ville toutes les fins de semaine. L'hiver, nous nous rendions dans un hôtel des Laurentides pour y faire du ski et l'été, elle y louait un chalet. J'appréciais bien ces escapades où l'on se sentait comme de grandes amies, mais je n'avais pas une vie familiale normale. Presque tous nos repas se prenaient au restaurant. Et puis, voulant rester fidèle à ma mère, je ne voyais mon père que très rarement.

Sylvie, dont la maladie restait sous contrôle avec l'aide des médicaments, était la seule de mes sœurs avec qui j'entretenais une relation significative. Comme elle avait emménagé dans notre immeuble à appartements, je pouvais jouir de sa compagnie tous les jours. Nous sommes devenues inséparables. Elle m'accueillait chez elle aux petites heures du matin quand la tension avec ma mère devenait insoutenable.

Malgré tout, j'ai vécu une très belle adolescence. J'étais particulièrement populaire auprès des garçons et mes amies étaient fidèles et elles me soutenaient. Je fréquentais une école privée depuis ma première année, ce qui apportait une stabilité dans ma vie. Avec mon dynamisme et mon entrain, je respirais la joie de vivre. Personne ne pouvait soupçonner que je vivais dans un univers familial chaotique. Malgré mon comportement indiscipliné et mon manque d'assiduité dans mes études, j'étais déterminée et ambitieuse. Mon objectif professionnel était de devenir avocate, procureure de la Couronne. Je me disais qu'un jour, je me mettrais à étudier, lorsque je serais au cégep, par exemple. Pour l'instant, ma vie scolaire n'avait pour seul but que de recréer un lieu où je pouvais oublier mes souffrances familiales.

La relation avec ma mère devint encore plus conflictuelle à la fin de mon adolescence. Malgré ses nombreux talents, elle avait perdu le sens de sa vie. Elle travaillait comme traductrice médicale. Au bureau, tous l'admiraient pour son perfectionnisme, son entregent et sa tenue vestimentaire toujours impeccable. À la maison, il s'agissait d'une tout autre personne. Elle buvait de plus en plus et se laissait dépérir. Criblée de dettes, elle ne pouvait plus se permettre de fuir dans les restaurants et les hôtels. Désabusée et aigrie, elle se laissait portée par le courant de la vie, n'ayant plus la force de diriger sa barque.

À l'âge de 19 ans, un soir de novembre, alors que je revenais à la maison après quelques jours d'absence, ma vie bascula. Depuis longtemps, je ressentais une grande angoisse face à l'idée de revoir ma mère. Je craignais sans cesse l'état dans lequel je la trouverais. Depuis plusieurs semaines, elle s'enlisait dans une autodestruction toujours plus pénible à regarder. J'avais dit à mon copain que, parfois, je préférerais la voir morte tellement la situation était devenue insupportable.

Ce soir-là donc, ma mère m'accueillit chaleureusement et m'embrassa affectueusement. Je m'étais conditionnée à l'ignorer et à me rendre à ma chambre alors qu'elle continuait de solliciter mon amour. Elle me demanda pardon pour ce qu'elle me faisait subir et m'assura que je n'aurais plus jamais à me plaindre d'elle. Je ressentis un malaise diffus mêlé d'une méfiance indescriptible devant son attitude étrange. Je me rendis à ma chambre pour y défaire mes bagages, pendant qu'elle soupait dans la cuisine. Quelques minutes plus tard, je l'aperçus la tête couchée sur la table, les mains devant la bouche. Sylvie, qui était présente, crut qu'elle voulait vomir. Je vis alors la tête de ma mère tomber sur le côté, le teint cyanosé. Je compris qu'elle venait de s'étouffer avec son morceau de viande.

Ma mère fut réanimée par les ambulanciers 30 minutes plus tard. À l'hôpital, on la brancha à un respirateur, mais comme l'électroencéphalogramme indiquait une absence totale de vie au cerveau, on la débrancha peu après en nous disant qu'elle s'éteindrait quelques minutes plus tard. Ces quelques minutes s'étendirent sur un mois. Malgré le coma profond dans lequel elle s'enlisait, elle semblait vouloir s'accrocher à la vie ou, plutôt, attendre le moment approprié. Elle choisit la semaine avant Noël pour quitter cette terre à l'âge de 59 ans.

Ce soir de novembre où elle s'étouffa, j'ai perdu ma mère, mon logement et le contact quotidien avec Sylvie. Je n'avais pas d'endroit où demeurer. L'appartement de Sylvie était minuscule et j'entendais mes deux autres sœurs se disputer car aucune ne voulait m'accueillir. Je fus finalement hébergée temporairement chez l'une d'elles. Le séjour fut de courte durée, vu l'incompatibilité de nos caractères. J'ai dû me résigner à aller vivre chez mon père, ne voulant pas abandonner l'école pour aller travailler. À l'époque, j'étudiais la philosophie à l'Université de Montréal.

Mon père m'a accueillie de façon inconditionnelle. J'ai reçu beaucoup d'amour de sa part. Mes préjugés à son égard sont tombés. Son attitude envers moi était plus souple que durant mon enfance. J'ai appris à le connaître et à le comprendre au cours des deux ans vécus chez lui et sa femme, dans le luxe et l'abondance.

Je jouissais d'une liberté absolue pendant les nombreux mois qu'ils passaient chaque année en Floride.

À la fin de mon baccalauréat en philosophie, j'ai été admise à la faculté de droit de l'Université de Montréal. J'ai alors quitté mon père pour aller vivre avec mon conjoint, André, avec qui je partage encore ma vie. J'avais tout pour être heureuse. J'étais enfin admise en droit, je vivais avec un homme que j'adorais, j'étais riche grâce à deux héritages (ceux de ma mère et de ma grand-mère). Je croyais avoir traversé le deuil de ma mère avec une force incroyable en travaillant jour et nuit pour rattraper le temps perdu dans mes études.

En étudiant le droit, j'ai pris conscience que je n'étais pas dans le bon domaine. Je souffrais de voir autant de prétention et si peu de valeurs morales. Je n'avais aucun autre but, mais voyant ma motivation disparaître au point de ne pas me souvenir de ce que j'étudiais, j'ai décidé d'abandonner ce rêve.

Je me suis sentie soulagée de quitter ce monde superficiel et de mettre fin à mon malaise, mais un sentiment de vide et d'incompétence a surgi par la suite. Mon prestigieux statut d'étudiante en droit se trouvait remplacé par celui, plus modeste, de cosméticienne chez Eaton! Je me sentais dévalorisée et diminuée.

J'avais évidemment l'intention de poursuivre mes études, mais rien ne me passionnait. J'avais perdu le feu sacré. Ma santé a commencé à dépérir, moi qui, étant jeune, manquais l'école pour une grippe une fois tous les cinq ans! J'avais de terribles migraines, j'étais devenue allergique aux odeurs de parfum que je devais respirer chaque jour. Mon système immunitaire était si faible que j'ai traîné la même grippe tout l'hiver.

Ma santé me préoccupait de plus en plus, moi qui n'y avais jamais porté attention. À l'époque, je fumais la cigarette, je mangeais beaucoup trop et j'avais tendance à abuser de l'alcool à certaines occasions. Ma préoccupation s'est transformée en hyponcondrie lorsque mon gynécologue m'a annoncé que j'avais des cellules précancéreuses au col de l'utérus. Cette nouvelle a eu l'effet d'une bombe. J'ai alors pris conscience de ma vulnérabilité et de ma fragilité. Toute ma vie, j'avais été le roc de Gibraltar, ayant encaissé tant d'épreuves et soutenu tant de gens. Je ne m'étais jamais arrêtée à ma douleur, à la blessure que j'avais si soigneusement protégée et cachée. Cet événement a fait resurgir toutes mes peines, mes peurs et mes angoisses existentielles.

Le deuil de ma mère, que je pensais résolu, a refait surface à travers ma peur du cancer et de la mort. Même si, après plusieurs biopsies du col, on m'a annoncé qu'il n'y avait plus aucune trace de cellules anormales, ma peur irrationnelle de la maladie demeurait présente dans tout mon être. Les émotions accumulées pendant de nombreuses années débordaient. Le moindre malaise physique me faisait penser au pire: une grande fatigue équivalait à la leucémie, un mal de tête persistant signifiait le cancer du cerveau! Au moindre symptôme inexplicable, je courais voir un médecin à une clinique sans rendez-vous. Je me trouvais rassurée quelque temps, jusqu'à l'apparition du prochain symptôme. Je savais en moi-même que je n'étais pas gravement malade et qu'il s'agissait de somatisation, mais j'étais incapable de contrôler mes pensées obsessives. J'avais parfois l'impression que ma vie ne tenait qu'à un fil.

Se sentant dépassé par la situation, André était parfois maladroit. Son impuissance se manifestait par une indifférence qui me plongeait dans une grande solitude. Mon univers semblait s'écrouler. Incapable de continuer à vivre avec une telle angoisse, j'ai décidé d'entreprendre une thérapie, surtout que j'avais commencé des études en psychoéducation. Il me fallait donc retrouver mon équilibre mental.

Au cours de ma thérapie, j'ai découvert que j'avais refoulé de nombreuses émotions pendant mon enfance. Je n'avais pas démontré ma vulnérabilité, ne voulant pas être un poids pour ma famille déjà suffisamment absorbée par leurs problèmes. J'étais devenue autosuffisante tout en adoptant un rôle de *sauveuse*. De cette façon, je méritais ma place, sachant inconsciemment que je n'étais pas une enfant désirée.

L'abandon vécu à l'âge de deux ans avait provoqué chez moi une peur de l'attachement et un désir de contrôle. J'étais très indépendante dès mes premières relations amoureuses et je mettais toujours fin à mes relations afin d'éviter de vivre un abandon. Je tombais amoureuse facilement, mais je savais garder la tête froide. Mes relations étaient de courte durée et je n'entrevoyais pas de passer ma vie avec un homme. J'étais contre le mariage et je ne voulais pas d'enfants. Je n'avais pas connu de bon modèle familial sur ce plan. L'amour représentait pour moi un jeu que je contrôlais habilement.

À l'âge de 19 ans, j'ai connu ma première relation sérieuse, qui dura deux ans. J'ai commencé à croire à l'amour et à apprécier la stabilité. C'est à cette époque que j'ai perdu ma mère. Afin de survivre, j'ai littéralement bloqué mes émotions devant ce drame qui envahissait ma vie entière. Mais les émotions qu'on accumule ressortent tôt ou tard. Lorsque le psychisme résiste, le corps encaisse et s'exprime. C'est pour cette raison que j'ai connu, à l'âge de 24 ans, cette période de malaises physiques et de peurs intenses. N'étant plus dans un contexte de survie, mais dans un encadrement sécurisant, je pouvais alors laisser sortir ce qui avait trop longtemps dormi en moi. Le corps et le mental choisissent toujours le meilleur moment pour faire le ménage; c'est pour cette raison que nous tombons souvent malades en vacances.

Donc, j'ai apprivoisé la mort de ma mère en étant face à la mienne. J'ai ainsi pris conscience de la fragilité de la vie. Je ne me sentais plus invincible comme auparavant, je ne me sentais plus maître de mon destin; mon contrôle perdait de son pouvoir.

La thérapie m'a permis de prendre du recul face à mes émotions et de reprendre contact avec ma force intérieure. N'ayant pas d'affinités avec le rôle de victime, j'ai fait le choix de me prendre en main. La première étape a consisté à cesser de fumer. Lorsque j'ai appris que j'avais des cellules précancéreuses, j'ai fait un pacte avec ma défunte mère: je lui ai promis que je cesserais immédiatement de fumer si je guérissais. La semaine suivante, je recevais le résultat négatif de la biopsie, à la grande surprise de mon gynécologue qui avait bien aperçu une lésion au microscope. Ce petit miracle me confirma mon pouvoir d'autoguérison et plus jamais je ne retouchai à une cigarette.

Le reste de mon corps continua toutefois à s'exprimer par des migraines, des ulcères d'estomac, des maux de jambes et des grippes à répétition. Rares étaient les jours où je me sentais bien. André, qui avait des maux de dos, consulta un chiropraticien. Je m'y fis traiter également pour mes migraines. Ayant une approche holistique, ce vieux sage nous sensibilisa à l'importance de changer notre alimentation, qui, de toute évidence, était le principal déclencheur de mes migraines. Mon conjoint et moi étions tous deux de gros mangeurs, malgré notre minceur.

Nous sommes devenus végétariens pour recouvrer la santé. La transition, quoique brutale, s'est faite avec beaucoup de facilité, la motivation étant présente. En plus, j'ai fait le deuil du café, de l'alcool, du chocolat et de plusieurs autres régals qui, par le passé, avaient souvent nourri ma gourmandise, mais déclenché des migraines. Je suis rapidement devenue une passionnée de l'alimentation saine, constatant ses bienfaits. Mes migraines ont diminué de fréquence et d'intensité, mon système immunitaire a retrouvé sa force et mon équilibre psychique s'est rétabli.

J'ai pu ainsi déverser mon énergie dans mes études. Ma période de bouleversement émotif a débouché sur une phase hautement analytique et rationnelle. L'étude des différentes composantes de la psychologie a provoqué en moi un besoin de tout comprendre, de tout analyser. Dans mon cours de développement biologique, j'ai fait la découverte d'Henri Laborit. Sa théorie de l'inhibition de l'action a été pour moi une véritable révélation. Selon lui, l'être humain a trois choix dans ses réactions face à une situation stressante: la fuite, la lutte ou l'inhibiton de l'action. Ce troisième choix suppose que devant un stress, une personne, au lieu de carrément fuir ou d'attaquer la situation, continue de la subir. Elle s'engloutit dans une angoisse passive, à la merci des événements, telle une femme qui reste avec un conjoint violent par peur de le quitter. Des expériences scientifiques ont permis de confirmer qu'une telle attitude serait à l'origine de plusieurs cancers.

Mes études m'ont permis de travailler sur moi tout en faisant ma thérapie, qui a duré un an. Moi qui n'avais jamais étudié, je devenais l'étudiante modèle! Mes notes se situaient souvent 20 points au-dessus de la moyenne. J'ai terminé mon bac parmi les trois premières! On m'a même remis une petite bourse de 250 $ pour que j'entreprenne des études au niveau de la maîtrise, mais je n'y étais pas intéressée ayant déjà fait six ans d'université. Mon intérêt concernait davantage la thérapie psychanalytique, que j'ai étudiée pendant trois ans dans une école dirigée par un de mes professeurs de psychoéducation, le psychologue très connu pour ses expertises psycholégales, Hubert Van Giseghem. Mon admiration envers ce professeur titulaire d'un cours de psychanalyse avait nourri mon intérêt pour cette approche.

J'étais aussi pressée de me rendre sur le marché du travail pour appliquer mes connaissances. Ma spécialité: les enfants psychotiques. J'avais fait trois ans de stage au Centre de jour en pédopsychiatrie de l'hôpital Sainte-Justine de Montréal, mais comme il était difficile de se tailler une place dans cette spécialité, mon premier emploi fut dans un centre d'accueil pour adolescentes mésadaptées socioaffectives. J'y ai travaillé trois étés.

Par ailleurs, à la fin de mes études, je comptais bien réaliser mon rêve le plus cher, celui de vivre à la campagne, particulièrement à Saint-Donat, à 130 km au nord de Montréal. J'y avais passé mes étés avec ma mère et ma sœur Sylvie. Pour moi, c'était le paradis sur terre. Jamais je n'avais vu autant de beautés de la nature en un même site. On y retrouvait les plus grands lacs des Laurentides entourés de majestueuses montagnes peuplées de forêts denses. Je n'étais plus capable de supporter la ville, surtout l'été. Je ressentais un besoin viscéral de me retrouver en pleine nature. C'était une condition fondamentale à mon épanouissement global. J'étais déterminée à y vivre et à y travailler dans mon domaine, sachant qu'il existait un centre d'accueil dans ce village. Je fis parvenir mon curriculum vitæ à cet endroit.

Mais avant d'entreprendre ma carrière, je passai un mois en Europe avec André. C'était le cadeau de remise des diplômes que je m'offrais, malgré le fait que mon père se mourait d'un cancer.

Deux ans auparavant, il avait ressenti une douleur persistante au niveau de la poitrine. Les médecins, qui n'avaient trouvé aucun problème, l'avaient déclaré en excellente santé. C'est devant l'insistance de mon père qu'on lui fit passer un scanner. Le test permit de détecter la tumeur à la colonne vertébrale qui rongeait ses côtes. Il fut immédiatement hospitalisé et resta immobilisé sur son lit pendant plusieurs jours, les médecins craignant la paralysie. La veille, mon père avait joué au golf et pensait encore parcourir son terrain préféré pendant les vingt prochaines années. Et voilà qu'on lui annonçait un cancer de la moelle osseuse, un myélome multiple!

J'ai reçu un véritable choc à l'annonce de son diagnostic. Mon père n'avait jamais été malade de sa vie. Il était de nature robuste avec une constitution d'athlète. Il jouait au golf quatre ou cinq fois par semaine et nageait une centaine de longueurs par jour dans la piscine de sa copropriété. Il était en meilleure forme que la plupart des hommes de 30 ans! J'avais le cœur brisé de le voir si vulnérable, impuissant devant l'arsenal médical.

À l'époque, je m'intéressais déjà à la spiritualité et je ne pouvais m'empêcher de penser aux lois de la nature et du karma. Toute sa vie avait été axée sur l'argent. Il avait atteint son but ultime: sortir de la pauvreté dont il avait été victime toute son enfance. L'abondance financière représentait pour lui le symbole du contrôle et de la puissance. Il avait toujours cru qu'il pouvait surmonter tous les obstacles sur son passage, ce qui lui donnait un sentiment de toute-puissance.

Pour la première fois de sa vie, mon père se trouvait dans un état de vulnérabilité absolue. Son argent ne pouvait pas lui rendre la santé. La réponse était en lui et exigeait un effort d'introspection qu'il ignorait. Il lui fallait remettre en question ses habitudes et ses croyances. Je savais que sa maladie avait une raison d'être et s'avérait nécessaire à son évolution. Mais encore fallait-il qu'il en prenne conscience!

Pendant les deux ans que dura sa maladie, j'ai vécu ma peine jusqu'au bout, sans camoufler mes émotions comme par le passé.

Je voyais la situation avec la plus grande lucidité, vivant sans l'espoir d'un miracle. Je savais que son cancer était incurable, quoique contrôlable. J'éprouvais beaucoup de compassion pour mon père dont l'univers avait basculé, du jour au lendemain, sous l'emprise impitoyable et dévastatrice de cette maladie sans pardon. Je l'entendais dire combien il avait hâte d'être à la retraite pour aller vivre dans sa copropriété en Floride. Sa retraite aura été de courte durée.

Au cours de ces deux années, j'ai tenté d'accompagner mon père avec le plus de sagesse et de sérénité possible. J'écoutais ses angoisses et je l'encourageais dans ses moments d'espoir. Il avait perdu ses défenses et comptait beaucoup sur ma force. Il était fier des études que j'avais faites et voulait fêter l'obtention de mon diplôme.

Peu de temps avant mon départ pour l'Europe, l'état de mon père se détériora. Il avait été victime d'une thrombose qui l'avait laissé paralysé. Lui qui, jusque-là, avait livré une lutte acharnée, avait décidé de se laisser mourir. Je savais qu'en partant un mois, je risquais de ne plus le revoir, mais je décidai tout de même de faire ce voyage planifié depuis plusieurs mois. Je lui fis mes adieux avant de partir.

Mon père mourut deux jours après mon départ. Il avait attendu que je parte pour ne pas changer mes plans. Mes sœurs m'annoncèrent la nouvelle à mon retour à l'aéroport. Ma peine se refroidit rapidement lorsqu'elles m'apprirent que mon père nous avait déshéritées pour tout laisser à ma belle-mère. Quelques mois auparavant, il nous avait pourtant juré qu'elle ne toucherait pas un sou. Leur relation s'était grandement détériorée avec les années et il savait pertinemment qu'elle ne voulait que son argent. Nous n'avons jamais compris ce revirement total. Nous avons même fait authentifier le testament.

Je n'ai jamais ressenti de rancune envers mon père, malgré son geste incompréhensible. Je me disais qu'il avait dû être manipulé par ma belle-mère. J'ai rapidement lâché prise tout en sachant que je laissais aller plusieurs centaines de milliers de dollars.

Le deuil de mon père s'est bien déroulé. Comme le décès était moins brutal et moins traumatisant que celui de ma mère, j'ai pu vivre mes émotions selon un processus normal.

Quelques mois plus tard, je fus convoquée au Centre d'accueil des quatre vents à Saint-Donat et j'obtins un poste d'éducatrice. Je fus emballée par cette nouvelle, un vrai miracle du destin. J'ai alors communiqué avec le propriétaire du chalet que ma mère louait. Il nous trouva quelque chose de bien tout près, au bord du majestueux lac Archambault.

J'ai travaillé deux ans et demi au Centre d'accueil, mais je ne m'y suis pas épanouie. Je me suis rendu compte que mon amour pour la nature de Saint-Donat ne suffisait pas à me rendre heureuse. Malgré cette constatation, André et moi sommes tombés amoureux d'une charmante maison canadienne, que nous avons achetée sur un coup de tête. Peu de temps après, j'ai quitté les Quatre vents pour aller travailler dans une école primaire à Sainte-Adèle. Comme je devais parcourir 140 kilomètres par jour, nous avons mis la maison à vendre. Autant nous avons souhaité son acquisition, autant nous voulions nous en débarrasser.

Pendant mes cinq années à Saint-Donat, j'ai gardé contact avec ma sœur Sylvie, qui avait trouvé mon départ de Montréal éprouvant. Je ne pouvais plus la voir plusieurs fois par semaine comme j'avais l'habitude de le faire en habitant en ville, mais elle venait régulièrement passer quelques jours chez moi et je lui parlais au téléphone plusieurs fois par semaine, malgré les interurbains.

Pendant les années où j'ai vécu à Saint-Donat, Sylvie a connu des moments très difficiles. Son appartement a pris feu; dans l'incendie, elle a perdu tous les livres et les disques auxquels elle tenait tellement. Elle a aussi été hospitalisée en psychiatrie après avoir cessé de prendre ses médicaments. Elle n'avait jamais accepté sa maladie, mais elle savait bien qu'il existait un écart entre son monde et la société. Ce qui la faisait le plus souffrir, c'était l'isolement dans lequel elle se trouvait. Elle n'avait personne d'autre que moi au monde. Mes deux autres sœurs avaient fait des tentatives de rapprochement qui avaient toujours mal tourné. Étant très idéaliste et intransigeante, elle ne gardait pas ses amis, ne les trouvant jamais à la hauteur de ses aspirations. Pour ses emplois, c'était le même scénario. Elle vivait donc de l'aide sociale dans une solitude absolue. Malgré tout, elle avait une belle apparence et un appartement très joliment décoré. Elle a toujours su garder sa dignité.

Puis, à l'âge de 39 ans, elle a décidé de mettre fin à sa vie. Par le passé, elle avait fait plusieurs tentatives de suicide en avalant tous ses médicaments; elle finissait toujours par les vomir, dormait un peu et se réveillait le lendemain en forme. Cette fois-ci, son médecin lui avait prescrit des tranquillisants, ce qui eut pour effet de l'engloutir dans un coma profond qui la mena à la mort.

J'ai vécu beaucoup d'ambivalence face au suicide de Sylvie: j'ai ressenti un certain soulagement de savoir qu'elle avait mis fin à sa souffrance, mais une profonde tristesse devant un si grand désespoir. Lorsque je me suis rendue chez elle par la suite, j'ai trouvé une lettre qui m'accusait de l'avoir abandonnée en déménageant aussi loin d'elle. Elle me reprochait ma belle petite vie alors qu'elle n'avait rien. Cette lettre m'a fait l'effet d'une douche froide. J'ai compris par la suite qu'il lui était plus facile de quitter cette terre en me détestant et en me tenant responsable de ses malheurs. Elle avait toujours eu une attitude de clivage à mon égard: un jour, j'étais la plus adorable et merveilleuse des créatures; le lendemain, j'étais un monstre d'inhumanité et de dureté. Ce comportement faisait partie des symptômes de sa maladie.

Je ne me suis pas laissée envahir par la culpabilité, sachant que j'avais toujours fait mon possible pour l'aider et la soutenir. Je savais très bien qu'elle regrettait toujours de tels paroles et gestes. Je n'ai pas hésité à lui pardonner.

Le départ de Sylvie a laissé un grand vide dans ma vie. Malgré la lourde responsabilité que je m'étais donnée en l'aidant, j'avais perdu une partie de moi, de mes racines. J'ai tout de même entrepris tous les arrangements funéraires avec calme et détachement. Je me suis rendu compte par la suite que mon deuil était probablement fait depuis des années. J'ai toujours su que le suicide de Sylvie était une éventualité probable. Je me sentais tellement impuissante devant son immense souffrance que je ne réussissais plus à atténuer comme auparavant!

Le suicide de Sylvie est le dernier événement traumatisant que j'ai vécu jusqu'à ce jour. J'avais à l'époque 32 ans et j'en ai maintenant 39. Je crois qu'il s'agit de la fin d'un cycle familial.

Quelques mois après sa mort, j'ai quitté Saint-Donat car je commençais un nouvel emploi comme psychoéducatrice à l'éducation des adultes à Saint-Jérôme. J'ai trouvé le travail idéal, où je peux enfin mettre mes talents à profit sans contraintes ni limites. Je peux innover et créer librement. J'ai l'impression d'accomplir ma véritable mission. Mon service s'adresse à une clientèle diversifiée (âgée de 17 à 40 ans), vivant des difficultés diverses: problèmes familiaux, conjugaux, de gestion de stress, de drogue, etc. Mes patrons me font entièrement confiance dans mes interventions.

Avec les années, j'ai conçu des ateliers que je donne dans les classes et qui portent sur des problématiques fréquentes chez les étudiants, comme les transitions et les changements, la gestion des besoins et du stress, la prévention du suicide, de la toxicomanie et du sida, la communication et le processus de deuil. J'offre également une série d'ateliers de développement personnel aux étudiants intéressés.

Je me rends compte que mon expérience de vie, avec ses pertes et ses deuils, m'a permis de développer ma compassion tout en gardant un détachement nécessaire. Même si les étudiants que je rencontre vivent des problèmes différents des miens, je peux leur transmettre ma force et leur offrir des moyens pour traverser leurs épreuves.

Je vis maintenant une vie paisible, toujours avec André, avec qui je partage mes jours depuis 18 ans. Notre amour et notre complicité ne font qu'augmenter avec les années. Nous partageons les mêmes valeurs et travaillons pour la même cause: la santé et le bien-être de notre corps, de notre esprit et de notre environnement.

Comme mon conjoint est journaliste et éditeur d'une revue spécialisée qui traite de santé et d'environnement en rapport avec l'habitation, j'ai accès à une foule d'informations que j'ai eu la chance d'expérimenter au cours des années.

J'ai aussi eu la chance de réaliser un grand rêve, celui de vivre au bord de l'eau. En 1998, nous nous sommes fait bâtir une maison saine dans un domaine de 2,5 acres bordé par un lac. Cette oasis de paix se veut un lieu de ressourcement et de communion avec la nature, nécessaire à l'accomplissement de notre travail respectif.

Je me sens maintenant en paix avec mon passé. Les nombreuses peurs qui me hantaient se sont dissipées au fil des ans grâce à des ouvrages spirituels, à des thérapeutes et, surtout, grâce à une attitude positive et à un changement complet de mes habitudes de vie. Ma volonté, ma discipline et ma grande détermination m'ont permis de m'améliorer sur tous les plans.

Je jouis maintenant d'une excellente santé. Chaque année, j'ai l'impression de rajeunir au lieu de vieillir. Mon plus grand accomplissement est le mode de vie que j'ai créé et qui touche à l'alimentation, à l'exercice physique, à la méditation, à la visualisation et, surtout, à la façon d'aborder la vie en acceptant et en affrontant les défis qu'elle me propose.

Chapitre 2

Mes migraines

À l'âge de 22 ans, alors que j'étais assise dans un autobus mont-réalais pour me rendre à mon travail, la vue de mon œil gauche s'embrouilla complètement pour laisser place à de petites étoiles scintillantes et à des taches noires. Je fus prise de panique croyant devenir aveugle. Une demi-heure plus tard, je recouvrai la vue, mais un terrible mal de tête m'assomma complètement. Je me pensai atteinte d'une tumeur au cerveau.

Je suis arrivée au travail avec l'impression d'avoir un mur de briques sur la tête! Mon teint était verdâtre, je frissonnais et j'avais la nausée. Je me suis rendue à l'urgence de l'hôpital le plus proche, où j'ai attendu des heures pour me faire dire que je souffrais de migraines et qu'il valait mieux que je consulte un neurologue. J'ai dû attendre encore des mois avant d'avoir un rendez- vous. Le spé-cialiste me confirma le diagnostic en précisant que je souffrais de migraines classiques, un type de migraine qui est précédé de trou-bles visuels. Il me rassura sur l'état bénin de mes maux de tête et me fit certaines recommandations quant aux aliments à éviter.

Parmi ceux-ci, on trouve tout ce qui contient de la caféine comme le thé, le café, le cacao et le cola. Les aliments particulière-ment à risque sont ceux qui contiennent des substances chimiques, des amines, comme la *tyramine* que l'on trouve, par exemple, dans les fromages vieillis et fermentés ainsi que dans le chocolat. Certains fruits comme les agrumes contiennent de l'*octopamine* et l'alcool de l'*histamine*. Le vin rouge est en effet un des principaux ennemis des migraineux à cause des additifs qu'il contient, dont le phénol. Certaines viandes fumées comme le salami, les saucisses à hot-dog, le jambon, le bacon sont reconnues comme étant des déclencheurs de migraines parce qu'elles contiennent des nitrites et des nitrates. Mais l'additif chimique le plus redoutable des migraineux est certainement le glutamate monosodique, qui sert à rehausser le goût des aliments et qui est souvent utilisé dans les restaurants chinois. Il est aussi préférable de s'éloigner de tous les additifs comme l'aspartame (utilisé comme substitut du sucre dans les produits diète), les benzoates et les colorants[1].

Mon neurologue m'incita fortement à cesser de prendre la pilule anticonceptionnelle qui s'avère très nocive pour les migraineux parce qu'elle contient des variations d'œstrogènes. Un lien a été clairement établi entre les fluctuations hormonales et l'incidence des migraines. C'est d'ailleurs pour cette raison que la migraine frappe davantage les femmes que les hommes et à certaines périodes de leur cycle hormonal. Les quelques jours avant et pendant les règles se révèlent particulièrement propices aux migraines. «La raison en est que les œstrogènes et la progestérone incitent les cellules tapissant l'utérus à sécréter un produit chimique (un *enzyme*) combattant l'effet de certains *amines*. La présence des amines est normale: elles contrôlent le changement de diamètre des vaisseaux sanguins du cerveau et du corps en général, pouvant ainsi provoquer la migraine chez des personnes qui y sont susceptibles[2].»

Les premiers temps, j'ai eu recours à de forts analgésiques comme les Fiorinals (barbituriques reconnus pour le traitement des migraines). Mais je me suis rendu compte qu'ils ne faisaient qu'étouffer temporairement la douleur pour me laisser avec un résidu de lourdeur et de léthargie. N'ayant jamais été très portée sur la médecine traditionnelle, je décidai de me documenter sur mon malaise afin de trouver des solutions de rechange aux médicaments.

Mes lectures m'aidèrent à comprendre le processus de la migraine. La circulation sanguine de tout le corps est temporairement perturbée, affectant particulièrement les vaisseaux du cuir chevelu et du cerveau. Le processus migraineux se déroule en deux phases. Il se produit d'abord un spasme vasculaire, ce qui contracte les vaisseaux capillaires de certaines parties de la tête, affectant ainsi la circulation sanguine. Par la suite, les vaisseaux se relâchent et se dilatent. La douleur est provoquée par cette congestion causant ainsi une tension extrême jusqu'à ce que le flux sanguin se normalise et se régularise[3].

La durée d'une migraine varie entre une journée et trois jours, et les crises peuvent se produire jusqu'à quatre fois par mois, généralement[4]. Dans mon cas, les migraines survenaient environ deux fois par semaine!

Dans les migraines classiques, la douleur est précédée de troubles visuels d'une durée de 15 à 30 minutes. La vision s'embrouille de ronds scintillants accompagnés d'une tache noire. Lorsque la vision se rétablit, le mal de tête s'installe. Ce type de migraine peut provoquer d'autres symptômes d'ordre neurologique allant d'un affaiblissement d'un membre jusqu'à l'engourdissement de la moitié du corps[5]. Heureusement, mes migraines se sont limitées aux perturbations visuelles, suivies de violents maux de tête.

En étouffant le processus migraineux, les médicaments provoquent des céphalées de rebond. Autrement dit, ils écourtent le processus de la migraine, mais celle-ci refait surface quelques jours plus tard. J'ai donc jeté mes médicaments; j'avais décidé d'opter pour la prévention et de m'attarder davantage aux causes qu'aux symptômes. Le lien entre certains aliments et le déclenchement des migraines ne faisait aucun doute.

Malgré ma gourmandise, j'ai toujours été dotée d'une grande volonté. La fréquence de mes migraines était beaucoup trop élevée pour que je ne fasse rien. J'ai d'abord éliminé les aliments proscrits en cas de migraines comme l'alcool, le chocolat, le café, les fromages, les charcuteries, les additifs chimiques. Mon sevrage du café fut particulièrement pénible car, malgré la consommation d'une seule tasse par jour, j'étais suffisamment intoxiquée pour en ressentir les effets. J'ai souffert pendant une semaine complète de maux de tête et d'une grande fatigue. J'avais l'impression d'avoir perdu toute vitalité. Même si le fait d'éliminer certains aliments pouvait retarder l'apparition de crises migraineuses, celles-ci faisaient toujours partie de mon système. Il fallait que j'examine les autres causes.

Mes migraines étaient plus fréquentes pendant mon ovulation et mes règles. Je fis donc le lien avec les fluctuations hormonales. Pendant ces périodes, je me devais de faire particulièrement attention à mon alimentation et à la gestion de mon stress.

J'ai pu établir un lien avec les autres déclencheurs, tels un manque de sommeil, le fait de trop manger ou de sauter un repas ainsi que les odeurs fortes. À l'époque, je vendais des parfums dans un grand magasin et je prenais deux fois par jour un autobus doté d'un moteur diesel aux vapeurs hautement toxiques. Mon appartement mal ventilé contenait des meubles en panneaux d'aggloméré émettant des vapeurs d'urée formaldéhyde et une moquette synthétique aussi très polluante. Je finis par comprendre qu'il ne suffisait pas seulement d'éliminer les aliments à risque ; il fallait établir une hygiène de vie où régneraient l'équilibre et la stabilité dans les divers secteurs de ma vie.

Les facteurs psychologiques

J'ai compris par la suite qu'il y avait des facteurs psychologiques reliés aux migraines. On caractérise les migraineux comme étant des gens ambitieux et perfectionnistes, parfois rigides et éprouvant de la difficulté à se détendre. Ayant bloqué mes émotions lors du décès tragique de ma mère, j'avais tendance à rationaliser et à analyser tout ce que je vivais. En vivant constamment dans le contrôle et dans l'intellect, je me créais une pression me prédisposant aux migraines. J'avais passé ma vie à vouloir tout comprendre et tout arranger. Je donnais la priorité aux besoins des autres, au détriment des miens. J'absorbais la souffrance de mon entourage, en particulier celle de ma sœur psychotique. Son mal de vivre tellement intense m'empêchait de jouir pleinement de la vie. Mon but était de la rendre heureuse, d'adoucir ses peines. J'ai dû renoncer à cet idéal inaccessible, à mon rôle de *sauveuse* pour me mettre en contact avec mes propres besoins.

«Ma tête *surchauffe* et me fait mal juste à l'idée du but à atteindre qui me semble inaccessible. Ma tête ressemble à un *presto*, la pression étant tellement forte que je ne sais pas toujours quelle solution ou quelle attitude adopter. Il y a un conflit entre mes pensées, mon intellect qui est surchargé, mes besoins et désirs personnels[6].»

La douleur accablante, engendrée par les migraines que j'ai longtemps subies sans aucun médicament ou analgésique, m'entraînait dans un état d'abandon total. Je n'avais plus aucun contrôle ni aucune énergie à donner aux autres. Je me suis longtemps révoltée contre cette *ennemie* qui venait envahir mon cerveau quand bon lui semblait en me donnant des coups de massue comme pour me punir, moi qui tentais d'avoir une hygiène de vie irréprochable. Je ressentais une profonde injustice devant l'absence de résultats face à mes nombreux efforts.

Après quelques années de lutte constante, j'ai décidé d'écouter mon corps. C'est à ce moment que j'ai compris la sagesse de ses messages. Mes migraines apparaissaient toujours au bon moment, quand je négligeais mes besoins et que je n'assumais pas ma liberté. Il s'agissait de moments où j'absorbais trop les émotions des autres en tentant de leur imposer mes solutions, ou encore lorsque je rationalisais mes émotions au lieu de les vivre et de les exprimer. J'ai alors compris que mes migraines me rappelaient à l'ordre en cognant dans ma tête pour m'avertir du déséquilibre qui s'installait dans ma vie.

L'ennemie est peu à peu devenue une amie capable de me confronter à une réalité que je semblais ignorer. Cet apprivoisement et cette réconciliation m'ont permis d'accepter mes crises migraineuses et de mieux supporter la douleur. J'ai réussi à cerner les éléments déclencheurs, tant physiques que psychologiques, pour en arriver à les prévenir. C'est ainsi qu'a commencé mon cheminement vers l'équilibre entre la compassion et le détachement. J'ai appris à lâcher prise en me centrant davantage sur ma propre vie et en laissant les autres relever leurs défis et accomplir leur mission. Je n'étais plus responsable du bonheur des autres. Bref, il m'a fallu apprendre à faire confiance à la vie.

Mes migraines avaient fait leur apparition à la même époque où mon gynécologue avait détecté des cellules précancéreuses au col de l'utérus. J'ai alors compris que je n'étais pas invincible et que mon corps se révoltait de la négligence que je lui avais fait subir depuis mon enfance. Je récoltais ce que j'avais semé. Aussi pénible fut-elle, ma période hypocondriaque déclenchée par ce diagnostic me mit directement face à la maladie et à la mort, ce qui me propulsa vers un désir ardent de retrouver ma santé globale.

NOTES

1. Dr Jacques Melon et Dr Jean Dorion, *Maux de tête et migraines: les comprendre, les vaincre*, Montréal, Éditions de l'Homme, 1988.

2. Dr Finlay Campbell, *La migraine*, Saint-Lambert, Héritage, 1981, p. 32.

3. L. Von Bash, R. Kunz-Bircher et A. Dunz-Bircher, *Maux de tête et migraines*, Neuchâtel et Paris, Victor Attinger, 1967.

4. Dr Finlay Campbell, *op. cit.*

5. Dr Jacques Melon et Dr Jean Dorion, *op. cit.*

6. Jacques Martel, *Le grand dictionnaire des malaises et maladies*, Québec, Les éditions Atma internationales, 1998, p. 305.

DEUXIÈME PARTIE

L'aspect physique

Chapitre 3

L'alimentation

Ma prise de conscience sur le plan alimentaire fut la première étape de mon cheminement vers le bien-être. La nourriture occupait chez moi une place particulièrement importante. Au cours de mon enfance et pendant mon adolescence, j'avais souvent assouvi mes besoins affectifs en mangeant. J'avais un appétit vorace et comme j'étais très active, je pouvais me gaver sans prendre beaucoup de poids. Étant en excellente santé, mon estomac et mon foie pouvaient absorber les pires abus et combinaisons alimentaires. J'étais particulièrement friande de chocolat et de croustilles. Je pouvais manger plusieurs tablettes de chocolat et prendre un bon souper par la suite, et ce, sans perdre mon appétit! Mais le corps ne réagit pas toujours au moment des abus. Il peut accumuler pendant des années sans laisser de trace, mais un jour, le vase déborde et la maladie fait son apparition.

Mon adaptation au végétarisme et aux médecines douces

Constatant que la médecine traditionnelle ne pouvait rien pour moi, sauf m'offrir une panoplie de nouveaux médicaments révolutionnaires pour traiter les migraines, j'ai décidé d'avoir recours aux médecines douces.

J'ai d'abord consulté un chiropraticien avec André qui souffrait de terribles maux de dos. Le chiro diagnostiqua chez moi un désordre mécanique au niveau des hautes cervicales et une légère scoliose, ce qui expliquait mes migraines et mes maux d'estomac. En plus de nous traiter une ou deux fois par semaine, il nous conseilla sur notre alimentation et sur les suppléments à prendre, comme les vitamines du complexe B, le calcium-magnésium et autres minéraux. C'est à cette époque qu'André et moi sommes devenus végétariens. J'avais compris que j'avais intoxiqué mon foie pendant toutes ces années.

Après plusieurs mois de traitements chiropratiques, j'ai découvert l'ostéopathie par une amie qui m'a orientée vers une perle rare; cette dame était physiothérapeute et ostéopathe. En sortant de mon premier traitement, j'ai souffert de terribles maux de tête pendant une semaine. Elle m'a rassurée en me disant qu'elle nettoyait en profondeur mon foie intoxiqué. J'ai pu constaté par la suite une amélioration. Malgré le bienfait des traitements, j'étais consciente que la moindre tricherie dans mon alimentation pouvait occasionner des rechutes.

Comme l'alimentation végétarienne est une véritable science qui exige des connaissances sur les éléments nutritifs essentiels, nous avons mis des années à intégrer les données et à combiner le plaisir et la santé.

Au début, nos repas étaient plutôt austères. Ils se composaient principalement de quiches maison, de soupes, de salades, de couscous, de pâtes aux légumes, de fruits et de noix. Nous avions peu de variété et nous achetions des mets préparés dans des magasins d'aliments naturels.

Avec les années, nous avons découvert de succulentes recettes à l'aide de bons livres, dont *Le guide de l'alimentation naturelle*, de Renée Frappier, qui offre aussi une section théorique très éducative. Mme Frappier est auteure, professeure en alimentation saine et présidente de l'Association manger santé.

Dans son livre, elle nous fait part des grands principes d'une alimentation saine. En voici quelques exemples:

–   Privilégier des aliments complets et varier les céréales (afin de ne pas s'en tenir qu'au blé entier);

–   Manger des aliments frais et éliminer les conserves;

–   Choisir des huiles de première pression, pressées à froid, et éviter celles qui sont hydrogénées;

–   Remplacer le sucre blanc raffiné par le miel, la mélasse ou encore les dattes.

J'ai remplacé le chocolat, l'ennemi numéro un des migraineux, par la caroube, une légumineuse provenant d'un arbre, le caroubier. La poudre de caroube a la même couleur et la même texture que la poudre de cacao, mais avec un goût moins amer. On trouve dans les épiceries spécialisées une multitude de friandises à la caroube: des barres, des gâteaux, de la crème glacée au tofu, des brisures de caroube pour faire des biscuits et autres desserts. Les véritables adeptes du chocolat vous diront que rien ne peut remplacer ce péché mignon, mais moi, je trouve que c'est un excellent compromis.

L'avantage de la caroube, c'est qu'elle ne contient pas de caféine et qu'elle comporte peu de gras (2 % comparativement au chocolat qui en contient 52 %). Elle renferme des glucides, du phosphore et du calcium (15 ml de caroube contiennent 30 mg de calcium). La poudre de caroube est excellente pour la flore intestinale grâce à sa teneur en pectine.

Mon principal défi fut de diminuer mes portions, moi qui avais l'habitude des deuxièmes assiettées! Car, malgré l'amélioration de la qualité des aliments, la frugalité est primordiale si on veut éviter d'encrasser son foie. Heureusement, j'avais depuis toujours la bonne habitude de ne pas boire en mangeant (boire ainsi augmente les sécrétions gastriques, ce qui nuit à la digestion). Et puis, pour faciliter la digestion, nous commencions notre repas par une salade ou des crudités. Toutefois, il m'a fallu plusieurs années pour maîtriser un principe essentiel en alimentation: manger lentement, dans le calme et en mastiquant bien. J'avais plutôt l'habitude de dévorer mon assiette au lieu de la déguster et d'entreprendre des discussions véhémentes pendant les repas.

Avec le temps, André et moi avons raffiné notre alimentation, mais nous restions toujours gourmands. C'est pourquoi nous
avons décidé de faire le ménage de notre corps une fois par
semaine; durant une journée, nous consommons uniquement des
fruits et des légumes, principalement sous forme de jus. De plus,
nous avons l'habitude de faire deux cures prolongées par année,
soit en automne et au printemps, deux périodes transitoires pour le
corps. Celui-ci est alors particulièrement vulnérable et doit
déployer beaucoup d'énergie pour s'adapter à une nouvelle
saison. Il est donc davantage prédisposé aux virus et aux bactéries,
surtout si le foie est encrassé et intoxiqué. C'est souvent le cas
pour les gens qui mangent trop et mal, c'est-à-dire qui consomment des aliments chimiques et dévitalisés. Ceux qui abusent du
gras, du sucre, de la viande, des produits laitiers et de l'alcool
encrassent particulièrement leur foie et entravent son fonctionnement.

Les symptômes d'un corps encrassé sont: une digestion
ralentie, un manque de vitalité pouvant aller jusqu'à l'épuisement,
de l'irritabilité, de l'anxiété et même de la dépression. Les sujets
ont un système immunitaire affaibli: ils sont donc plus vulnérables
aux diverses infections comme la grippe[1].

En mangeant bien et en faisant notre journée de cure par
semaine, nous ménageons beaucoup notre corps et nous lui con-
servons sa vitalité. Vers la mi-octobre, alors que le temps se rafraî-
chit et que l'hiver se fait sentir, nous diminuons certains aliments
pendant une semaine afin de laisser à notre corps la chance de
récupérer. Nous mettons l'accent sur les fruits et les légumes, et
nous diminuons les céréales, les légumineuses et le pain. Nous
prenons des ampoules d'extraits de plantes dépuratives pendant
20 jours; celles-ci favorisent le nettoyage de tous les organes
digestifs en profondeur. Nous recommençons cette stratégie vers
la fin de mars. Ce nettoyage nous protège contre le rhume ou la
grippe. Moins le corps est intoxiqué, plus le nettoyage se fait en
profondeur et il en ressort encore plus propre. Nul besoin de faire
des abus pour s'adonner à ce genre d'entretien annuel. Nous

n'hésitons jamais à faire nos mises au point pour notre voiture, alors pourquoi négliger notre corps?

Il est important de spécifier que les cures ne conviennent pas à tous et qu'avant d'en entreprendre une, il est important de consulter un médecin ou un thérapeute spécialisé en alimentation, surtout dans le cas des femmes enceintes, des gens souffrant d'hypertension, de diabète, d'insuffisance hépatique, d'affections rénales ou cardiaques[2].

La constipation

La constipation fut un autre malaise très présent dans ma vie pendant de nombreuses années. Une fois de plus, j'ai affronté ce problème en améliorant mon alimentation: j'ai augmenté la quantité de fibres alimentaires dans mon assiette, par exemple en choisissant toujours des céréales à haute teneur en fibres. On recommande de consommer au moins 30 g de fibres par jour, notamment pour prévenir le cancer. J'ai remplacé les produits laitiers par des produits à base de soya, puis j'ai éliminé le blé au profit d'autres céréales comme l'épeautre, le kamut et le seigle. Je bois beaucoup d'eau (de 6 à 8 verres par jour) et je mange de 5 à 10 portions de fruits et de légumes par jour.

J'ai remarqué que le fait de manger lentement et calmement, en mastiquant chaque bouchée au moins trente fois, favorisait la digestion et l'élimination. L'état psychologique influence aussi beaucoup le processus digestif. Pour ma part, quand je suis tendue et contrôlante, ma digestion ralentit et entraîne la constipation. L'alimentation n'est donc pas suffisante pour la prévenir, mais au moment où la constipation s'installe, il est clair que le choix des aliments et une bonne respiration s'avèrent d'un grand secours pour y remédier.

L'eau

J'ai développé avec les années une véritable dépendance à l'eau surtout que celle de mon puits est excellente, tant au goût qu'en ce qui concerne sa qualité. J'emporte toujours une bouteille d'eau avec moi. Plusieurs nutritionnistes déconseillent de boire en mangeant: idéalement, l'on devrait cesser sa consommation d'eau 15 minutes avant le repas pour la reprendre 2 heures après. L'eau se charge du transport des éléments nutritifs et des déchets cellulaires. Elle favorise l'excrétion des déchets par les reins, la peau, les poumons et les intestins. Elle améliore la qualité des tissus et combat la fatigue, les maux de tête et la faim.

Depuis quelques années, j'ai commencé à boire du thé vert, dont les propriétés antioxydantes sont scientifiquement reconnues. Ce thé de jeunes pousses stimule les enzymes de désintoxication du foie. Celles-ci stabilisent la proportion de radicaux libres qui détruisent nos cellules et sont responsables d'un bon nombre de maladies, dont le cancer. Le thé vert apporte de nombreux bienfaits, notamment l'amélioration de la digestion, l'activation de la circulation sanguine ainsi que la réduction des risques de maladies cardiovasculaires en prévenant le durcissement des artères. Le thé vert est un stimulant qui contient de deux à quatre fois moins de caféine que le café, ce dernier étant plutôt défini comme un excitant[3].

Les fruits et les légumes

J'ai toujours adoré les fruits et je n'ai aucune difficulté à remplacer un morceau de gâteau par une bonne mangue. Les fruits sont détoxifiants et assurent une bonne source de vitamines, de fibres et d'eau. Les fruits séchés sont également très nutritifs, spécialement en vitamines A et B, en fer, en calcium et en fibres; on doit par contre en consommer modérément à cause de leur haute teneur en sucres et de leur apport calorique[4].

Les légumes, eux, contiennent peu de calories. Ils sont une excellente source de vitamines A, B et C, de minéraux dont le fer et le calcium que l'on trouve surtout dans les légumes verts. Il est important de manger des légumes crus et cuits dans la même journée et d'alterner entre les légumes verts et jaunes, entre les légumes feuilles et les légumes racines[5].

Le deuil de la viande

Je n'ai éprouvé aucune difficulté à éliminer la viande de mon alimentation, surtout quand j'ai su la façon dont les animaux d'élevage industriel sont traités ainsi que tous les médicaments et les hormones qu'on leur administre systématiquement, sans parler du stress de l'abattoir.

Une surconsommation de viande entraîne un excès de protéines et de gras, tout en augmentant le taux de cholestérol. Le lien a été établi entre une alimentation trop riche en protéines et le cancer, les troubles cardiovasculaires, l'hypertension, le diabète, l'obésité et les maladies rénales.

Selon Edward Giovannucci, un épidémiologiste du Harvard Medical School, les hommes qui consomment de la viande rouge plus de cinq fois par semaine présentent quatre fois plus de risques d'être victimes du cancer du côlon que ceux qui en consomment moins d'une fois par mois.

«Le végétarisme est une option santé reconnue par plusieurs instances qui reconnaissent le lien incontournable entre l'adoption d'un mode de vie végétarien et la diminution des symptômes de plusieurs affections chroniques, entre autres, l'obésité, les maladies cardiovasculaires, l'hypertension, le diabète, la constipation et le cancer du côlon. On observe le même effet préventif pour deux problèmes qui affligent de plus en plus les femmes: le cancer du sein et l'ostéoporose. Enfin, réduire sa consommation de viande a évidemment des incidences positives considérables sur l'environnement[6].»

L'impact sur l'environnement est vraiment énorme: on rase des forêts pour élever des bœufs et le purin de porc est un polluant important des cours d'eau!

Malgré ses effets néfastes, la viande contient toutefois des protéines complètes, car elles renferment tous les acides aminés essentiels. Il faut donc les remplacer par diverses protéines végétales, que l'on combine pour en faire des protéines complètes[7].

Le tofu et les autres légumineuses

Jadis, le tofu, reconnu comme un excellent substitut à la viande, ne m'inspirait guère avec sa texture peu attrayante et son goût fade. Il m'a fallu quelques années avant de me risquer à l'intégrer dans mon alimentation. J'ai alors compris pourquoi le tofu avait la réputation de prendre le goût qu'on lui donne, que ce soit en repas principal, en dessert ou en trempette. Aujourd'hui, je ne peux m'en passer en raison de sa polyvalence et de ses nombreuses propriétés nutritives. Il remplace avantageusement la viande, les œufs et les produits laitiers. C'est une excellente source de protéines végétales; il est aussi pauvre en gras saturés, dépourvu de cholestérol, riche en calcium et en fer, en plus d'être très économique. Que je le serve mariné au tamari et au gingembre, accompagné de citron et de noix de coco, inclus dans une mousse, même les omnivores les plus conservateurs en raffolent!

Les autres légumineuses constituent également un excellent substitut à la viande, qu'il s'agisse de lentilles, de pois chiches, de haricots blancs ou rouges ou encore de fèves adukis et pinto. Bref, ce n'est pas le choix qui manque. Les légumineuses constituent une excellente source de protéines qui deviennent complètes si on les associe à des céréales, à des noix ou à des graines. Elles renferment des lipides dépourvus de cholestérol et s'avèrent très énergétiques. Enfin, les légumineuses sont une bonne source de minéraux (calcium, phosphore, fer) de vitamines B_1 et B_2 et de fibres[8].

Les noix et les graines

On connaît bien la réputation des noix et de graines comme sources incontestables de protéines. Par contre, comme elles contiennent beaucoup de lipides et qu'elles sont très caloriques, il faut les consommer avec modération. Elles renferment aussi plusieurs minéraux comme le calcium, le magnésium, le fer et le zinc, les vitamines A, B et C. Pour obtenir des protéines complètes, il faut les associer à des légumineuses[9].

La valeur nutritive des légumineuses et des noix est supérieure à celle de la viande. Celles-ci sont riches en glucides, en vitamines, en minéraux, en fibres et en antioxydants.

Les céréales

Les céréales, que ce soit au petit déjeuner ou pour compléter un autre repas, font inévitablement partie de toute alimentation végétarienne. Elles sont riches en vitamines B et E et contiennent une bonne concentration de sels minéraux et d'oligoéléments, tels le fer, le sodium, le potassium et le phosphore. Ces éléments se trouvent près de l'écorce du grain, d'où l'importance de consommer des grains entiers. Les céréales constituent une excellente source énergétique et une bonne base de protéines qui deviennent complètes lorsqu'on les combine aux légumineuses ou aux produits laitiers[10].

Mon évolution dans mon alimentation

Comme je le mentionnais auparavant, la nutrition est une véritable science et il existe une multitude de théories sur le sujet. Je ne me considère pas comme une experte, n'ayant aucune formation dans ce domaine, mais j'ai beaucoup lu au cours des treize dernières années. Comment s'y retrouver avec toutes ces théories qui souvent se contredisent? Grâce à l'expérimentation et à l'intuition. Il faut être à l'écoute de son corps. Un aliment peut être bénéfique pour certains et nocif pour d'autres, selon le seuil de tolérance de chacun.

Mon régime alimentaire a beaucoup évolué avec les années. Au début, il était peu varié et peu recherché. Les céréales que je consommais étaient surtout du blé entier, de l'avoine et du seigle, sous forme de flocons, de pains et de pâtes. Je mangeais beaucoup de fruits et de légumes, peu de fromage et de produits laitiers. Certes, ma santé s'est améliorée, mais j'avais encore des migraines et je souffrais de constipation occasionnelle. Je me réveillais souvent enflée et irritable le matin. Puis, j'ai découvert que j'avais une intolérance au blé, surtout dans les pâtes alimentaires. J'ai dû faire mon deuil des pâtes jusqu'à ce que je découvre les autres merveilleuses céréales, dont le kamut, l'épeautre, le sarrasin et le quinoa. Contrairement à ce que plusieurs pensent, il est possible de manger ses céréales du matin, son pain et ses pâtes sans aucun blé.

Mon intolérance au blé me fut confirmée par une théorie tout
à fait révolutionnaire élaborée par deux naturopathes, le père et le
fils: James et Peter D'Adamo. Cette théorie expliquée dans le livre
4 groupes sanguins, 4 régimes de Peter D'Adamo, présuppose que
chacun des groupes sanguins, soit A, B, O et AB, requiert un
régime particulier en raison de ses caractéristiques propres. Il
s'agit bien sûr d'une théorie très controversée, mais j'ai eu l'intuition que je pouvais y trouver des éléments intéressants sans pour
autant en faire une religion.

Le régime des groupes sanguins

Le groupe O est le plus ancien des groupes sanguins, celui des
chasseurs-cueilleurs. Les personnes de ce groupe ont un système
immunitaire puissant et rebelle. Puis est né le groupe A, celui des
premiers immigrants originaires d'Asie ou du Moyen-Orient. Les
membres du groupe A immigrèrent par la suite vers l'Europe occi-
dentale et furent obligés de s'adapter à un nouveau mode de vie
plus sédentaire. Le groupe B est celui des nomades; il peut s'a-
dapter à un nouveau climat en maintenant «un équilibre entre les
tensions de l'esprit et les exigences du système immunitaire[11]». Le
groupe AB, quant à lui, est une fusion entre les caractéristiques
des groupes A et B.

Mon groupe sanguin est le O. J'ai pu constater que j'avais
plusieurs des caractéristiques mentionnées dans cette théorie. Par
exemple, les personnes du type O ont besoin d'une activité
physique soutenue. Si elles ne respectent pas ce besoin, elles
deviennent déprimées, fatiguées et souffrent d'insomnie. J'ai
effectivement toujours eu besoin de beaucoup d'exercice pour être
calme et détendue. Si je passe une seule journée sans activité physique, je deviens fatiguée et irritable.

Pourvus d'un bon leadership et ayant une santé de fer, les
membres du groupe O sont optimistes et vigoureux. Selon Peter
D'Adamo, comme ils sont naturellement très actifs physiquement,
ils ont besoin d'une alimentation riche en protéines. Ils digèrent
difficilement les céréales, surtout le blé, le maïs et l'orge, ainsi que
les produits laitiers. J'ai pu constater la véracité de ces propos

concernant le blé, le maïs et le fromage, qui ont toujours eu l'effet de me faire gonfler et de me constiper.

Pour les gens appartenant à ce groupe, l'auteur recommande une consommation régulière de viandes et de poissons maigres exempts de produits chimiques. Je ne me suis pas sentie concernée par la nécessité de manger de la viande pour maintenir mon énergie et ma vitalité. Depuis que j'ai cessé la viande, je ne me suis jamais sentie aussi en forme. J'ai par contre rajouté à mon alimentation environ deux portions de poisson par semaine, surtout du saumon, du thon et de la sole, qui sont particulièrement recommandés pour le groupe O. Je me permets aussi de manger, à l'occasion, du poulet biologique élevé en liberté et non traité aux hormones ni aux antibiotiques.

J'ai lu attentivement la liste des aliments que ce chercheur considère comme bénéfiques, neutres et à éviter selon mon groupe sanguin. Les aliments bénéfiques sont considérés comme des médicaments, les aliments neutres, comme de bonnes options, et ceux qu'on doit éviter constituent de véritables poisons, entre autres parce qu'ils contiennent des *lectines.*

Les lectines sont des protéines bénéfiques ou néfastes, selon la compatibilité ou l'incompatibilité avec les antigènes sanguins. S'il y a incompatibilité, les lectines se mettent à s'agglutiner sur les cellules. «Une fois qu'une lectine nocive s'installe dans une partie du corps, elle agit sur les cellules de cette zone comme un aimant. Celles-ci s'agglutinent alors et sont vouées à l'élimination comme si elles étaient étrangères à l'organisme. Ce phénomène peut se traduire au niveau de l'intestin par un syndrome de côlon irritable [...][12].»

L'auteur a lui-même testé, par des méthodes cliniques et des examens de laboratoire, l'influence de presque tous les aliments courants sur les divers types de sang. Il a examiné au microscope l'agglutination du sang combiné à une lectine nocive.

Dans sa plus récente publication, *4 groupes sanguins, 4 modes de vie*, Peter D'Adamo fait état, comme l'explique la spécialiste en nutrition et naturopathe Julie Brière, d'importantes distinctions concernant le facteur de sécrétion d'antigènes. Il mentionne des aliments distincts pour les individus sécréteurs et non sécréteurs. Les types sécréteurs (80 % de la population) possèdent la capacité de sécréter leurs antigènes de groupe sanguin dans leurs fluides corporels (salive, mucus, sécrétions digestives, sperme, etc.), ce qui leur confère une bonne protection immunitaire. Les types non sécréteurs (20 % des gens) n'ont pas cette première ligne de défense. En conséquence, ils doivent faire entrer l'«ennemi» dans leur sang avant de pouvoir s'en débarrasser.

Les études démontrent que les non sécréteurs risquent davantage de développer les problèmes suivants: infections à répétition, troubles digestifs, migraines, *Candida albicans*, hypoglycémie, allergies alimentaires, maladies autoimmunes, inflammations, diabète, caries dentaires, alcoolisme, etc. De plus, ils sont plus sensibles aux effets négatifs des lectines. On observe des changements spectaculaires lorsqu'ils adoptent un régime basé sur leur groupe sanguin. Il s'agit d'une clé majeure de leur guérison[13].

Pour connaître votre type, sécréteur ou non, vous devez vous procurer un test salivaire. Vous pouvez commander un test individuel (50 $ plus taxes et frais de livraison) au Spa-Eastman (450) 297-3009 ou par Internet à l'adresse suivante: www.abovie.com. Puisque je n'ai pas encore passé le test, je tente de consommer des aliments qui conviennent aux deux.

Comme je le mentionnais, le blé, le maïs et l'orge, sous toutes leurs formes, sont les céréales à éviter pour le groupe O à cause des lectines qu'elles contiennent. Les céréales neutres pour moi comprennent, entre autres, le riz, le millet et le quinoa. J'utilise aussi le kamut pour faire du pain, des pâtés et des pâtes alimentaires. J'ai également intégré à mon alimentation les délicieuses galettes de riz ainsi que les craquelins de seigle et de sésame Ryvita. Depuis que je mange ces céréales et que j'ai complètement éliminé le blé de mon alimentation, ma digestion s'est beaucoup améliorée et je n'éprouve presque plus de problèmes de constipation.

Pour ce qui est des fruits et des légumes qui sont nocifs pour mon groupe sanguin, je n'avais pas remarqué d'effet particulier lors de leur consommation, sauf pour les pommes de terre, mais j'ai décidé de les supprimer de mon alimentation pour les remplacer surtout par les fruits et les légumes bénéfiques et par ceux qui sont neutres. J'ai éliminé l'aubergine, l'avocat, les choux vert et rouge ainsi que la pomme de terre. Presque tous les légumes que je consomme sont bénéfiques ou neutres pour le groupe O: l'épinard, l'asperge, le brocoli, le persil, la betterave, la carotte, le navet, l'ail, l'oignon, l'échalote, le poivron rouge et j'en passe.

Les fruits que j'évite le plus possible sont la fraise, le kiwi, la mûre, la noix de coco, le melon miel et le cantaloup. Les fruits que je privilégie sont l'ananas, le bleuet, la mangue, la banane et plusieurs fruits neutres comme le pamplemousse, la pomme, le melon d'eau et la poire. Le matin, j'avais l'habitude de prendre un jus d'orange au lever; maintenant, c'est un jus d'ananas.

Les épices et les condiments à éviter sont le vinaigre, la fécule et le sirop de maïs. Ceux que je dois privilégier et que j'utilise dans plusieurs recettes sont la caroube, le gingembre, le persil, le cari et le curcuma.

L'échinacée

Parmi les plantes à éviter pour les membres du groupe O, on trouve, entre autres, le millepertuis, le psyllium, la luzerne et, à ma grande surprise, l'échinacée qui fait des merveilles pour prévenir le rhume et la grippe. Malgré la recommandation, j'utilise encore cette plante sous forme d'ampoules concentrées avec d'autres herbes médicinales aussitôt que j'éprouve des symptômes de refroidissement, car les effets sont spectaculaires. J'ai trouvé une explication au fait qu'il s'agissait d'une plante à éviter: l'échinacée surexcite le système immunitaire déjà très puissant et actif chez les membres du groupe O et peut favoriser l'inflammation. Par contre, elle ne contient pas de lectines nocives et je l'utilise avec modération, contrairement à certaines personnes qui en prennent tout l'hiver. Je me contente d'une ampoule matin et soir pendant deux ou trois jours dès l'apparition de symptômes de refroidissement. Ça suffit généralement pour faire disparaître ces signes si je m'y prends au tout début. Le fait d'être en excellente santé et en forme physiquement aide aussi grandement à résister aux virus et aux bactéries.

Originaire d'Amérique du Nord, l'échinacée est reconnue par les Amérindiens pour ses vertus thérapeutiques. Depuis plusieurs années, beaucoup de recherches scientifiques ne cessent de prouver son efficacité dans la prévention de certains malaises (notamment le rhume et la grippe) et contribue à en diminuer les symptômes. En plus de stimuler l'immunité, l'échinacée possède des propriétés antivirales, antibiotiques et anti-inflammatoires. Même à fortes doses, elle est généralement sécuritaire, contrairement aux antibiotiques qui détruisent les bactéries de l'organisme[14].

Les plantes bénéfiques et neutres que je consomme le plus souvent sous forme de tisanes sont la menthe poivrée, le thé vert et la camomille, un remède miracle pour les crampes digestives.

La boisson de soya

Avant même de lire que les produits laitiers étaient généralement à proscrire pour les gens du groupe O, j'avais presque complètement éliminé les fromages et le lait de mon alimentation pour les remplacer par les produits de soya. Ce changement a également contribué à guérir ma constipation.

Lorsqu'on ne consomme plus de produits laitiers, il est important de les remplacer par des substituts qui contiennent du calcium. Parmi ceux-ci, on trouve certaines légumineuses comme les haricots blancs, le brocoli, le persil, le chou bok choy, les graines de sésame entières, les amandes, la noix du Brésil, les graines de tournesol, les algues, la figue et, évidemment, tous les dérivés du soya.

J'utilise la boisson de soya dans mes céréales le matin, mais aussi pour la béchamel, les omelettes, les crêpes, bref, pour tout ce qui nécessite du lait. Je suis enchantée par son goût discret; pour un parfum plus relevé, j'utilise les boissons de soya assaisonnées à la vanille, aux fraises et même au chocolat. Les vertus du soya (biologique, évidemment) sont reconnues. La boisson de soya contient des protéines, des glucides et peu de matières grasses, selon les marques et les ingrédients rajoutés. Elle constitue aussi une très bonne source de magnésium.

Pour ceux qui s'abstiennent des produits laitiers, on recommande les boissons enrichies de calcium, de zinc et des vitamines A, D, B_2 et B_{12}. Avec ces ajouts, la valeur nutritive du lait de soya surpasse celle du lait de vache.

Le soya constitue aussi une des meilleures sources d'isoflavones, des phytœstrogènes réputées pour diminuer les bouffées de chaleur des femmes ménopausées. La nutritionniste Hélène Baribeau soutient que les isoflavones, en plus de protéger la santé des os et des artères, contribuent à diminuer le taux de mauvais cholestérol et à prévenir le cancer du sein et de la prostate. Comme elles imitent les œstrogènes humains, elles aident à régulariser l'activité hormonale. Il existe d'ailleurs des hormones naturelles composées d'isoflavones qui peuvent, dans certains cas, remplacer avantageusement les hormones synthétiques. En consommant de 40 mg à 80 mg de phytœstrogènes par jour, on peut bénéficier de tous ces avantages, selon Mme Baribeau. Une seule tasse de boisson de soya en contient de 20 mg à 35 mg.

D'ailleurs, le très bas taux de cancer des Japonaises serait attribué à leur grande consommation de phytœstrogènes. En Amérique du Nord, 8 femmes sur 10 souffrent de bouffées de chaleur pendant leur ménopause, tandis qu'au Japon, seulement 2 sur 10 ressentent ce désagrément[15].

Par contre, dans un article portant sur la prévention des cancers hormonodépendants, publié dans le journal *L'émeraude plus* de mai-juin 2002, Micheline O'Shaughnessy cite le Dr Robert Arnot, auteur du livre *Comment réduire les risques du cancer du sein par l'alimentation*, qui nous met en garde contre les dangers d'une surconsommation de soya. Il reconnaît, par contre, qu'une dose modérée, comme celle que les Asiatiques consomment, «peut avoir un effet de prévention du cancer du sein en bloquant nos récepteurs cellulaires d'œstrogènes (empêchant ainsi les

œstrogènes plus puissants comme l'œstradiol et l'œstrone de stimuler ces récepteurs)[16]».

Plusieurs études, dont certaines sont financées par l'industrie
du soya, ont présenté celui-ci comme un aliment miracle contre les
maladies coronariennes et le cancer, mais le soya est un aliment de
plus en plus controversé. La science de la nutrition évolue constamment et nous propose souvent des théories contradictoires laissant le consommateur de plus en plus perplexe. Si, chez certaines
femmes, le soya semble protéger du cancer du sein, chez d'autres,
il pourrait favoriser cette maladie, explique la diététiste ontarienne
Andrea Miller du Sunnybrook and Women's College Health
Sciences Center. Citée dans le site Internet www.mokasofa,
Mme Miller souligne que les études sont encore non concluantes et
qu'il est difficile de connaître l'impact d'un seul aliment, car notre
diète en contient et en omet tellement.

La conseillère en nutrition Julie Brière souligne que les produits de soya non marinés ralentissent la glande thyroïde et qu'ils
sont indigestes, car ils abaissent la production d'enzymes. Or, la
glande thyroïde ralentit déjà de façon naturelle durant la ménopause. «Les Japonaises mangent beaucoup d'algues, ce qui
compense pour l'effet du soya en nourrissant la thyroïde», explique-
t-elle. Mme Brière déconseille de prendre plus d'une portion
quotidienne de soya (idéalement de culture biologique et sans
organismes génétiquement modifiés) et de privilégier les formes
marinées, tels le tempeh et la sauce tamari, plutôt que les formes
modernes (lait de soya et dérivés, protéines de soya et aliments en
conserve).

Toutefois, cette controverse entourant le soya concerne surtout les bébés. Certaines études suggèrent en effet que les phyto-
œstrogènes perturberaient l'équilibre hormonal des nourrissons au
point de provoquer le développement des seins dès l'âge de deux
ans! Le pape de l'alimentation biologique, Claude Aubert, qui
édite la revue française *Les quatre saisons du jardinage*, souligne
à juste titre que les études sont souvent contradictoires: en l'espace
d'un an, les mêmes chercheurs écrivaient, dans deux articles
scientifiques différents, tantôt qu'un bébé nourri au lait de soya

pouvait absorber une concentration de phytœstrogènes suffisante pour exercer des effets biologiques (néfastes), tantôt que l'exposition précoce aux phytœstrogènes «pourrait avoir à long terme des effets bénéfiques sur la santé en matière de maladies hormonodépendantes[17]».

Les risques sont assez sérieux, par contre, pour que Santé Canada recommande de «n'utiliser les préparations à base de soya que pour les nourrissons qui ne peuvent consommer de produits laitiers pour des raisons de santé, de culture ou de religion».

Ignace Daher, qui travaille à la mise en marché du fabricant québécois Nutrisoya, dénonçait dans le numéro automne-hiver 2002 du *Journal Vert*, la controverse exagérée sur le soya. «Il est clair que plus un produit est reconnu, plus il va avoir des adeptes mais aussi des détracteurs [...]. Plus on avance, et plus on sort des études qui corroborent les bienfaits du soya et confirment son succès. D'autre part, on voit ici et là une ou deux études qui attaquent le soya. Cela veut-il dire que les milliers de chercheurs et de scientifiques ayant trouvé des bienfaits au soya sont des imposteurs? Voici les références de sites qui se prononcent pour ou contre le soya. Pour se faire une idée juste, les lecteurs peuvent les consulter et comparer[18].»

Sites négatifs	Sites positifs
www.thedoctorwithin.com/articles/magic_bean. html	www. soyfoods.com
www.westonaprice.org	www.soyproduct.com
www. soyonlineservice.co.nz	www.talksoy.com
	www.soybean.org
	www.soyfoods.org
	www.soybean.on.ca

Personnellement, je tente de ne pas dépasser une ou deux portions de soya par jour, par exemple une tasse de boisson de soya dans mes céréales ou une portion de tofu. Comme le mentionne Hélène Baribeau, on trouve des phytœstrogènes sous forme d'isoflavones dans les céréales, les légumineuses, certains fruits et légumes, et particulièrement dans les graines de lin[19].

L'huile d'onagre

Toujours en ce qui concerne les hormones, j'ai trouvé un remède naturel miracle contre le syndrome prémenstruel : l'huile d'onagre sous forme de gélules. J'en prends 500 mg trois fois par jour, dix jours avant le début de mes règles. Dès le premier mois, j'ai tout de suite remarqué une nette amélioration, le détail plus frappant étant l'absence de gonflement du tissu mammaire ; habituellement, mes seins étaient congestionnés et douloureux une semaine avant le début des règles. Mon humeur est également plus stable et mon sommeil est meilleur ; bref, je n'ai plus l'impression d'être dans «cette période» normalement si difficile. Il va sans dire que mon alimentation très peu salée et sucrée, combinée avec des exercices physiques quotidiens, a contribué à ce bien-être. Le supplément ne fait qu'aider.

L'huile d'onagre est reconnue pour son action positive dans les désordres endocriniens touchant les glandes thyroïdes, surrénales et sexuelles. Elle aide à prévenir également les douleurs menstruelles, les règles irrégulières et même l'absence de règles. Elle soulage aussi plusieurs symptômes de la ménopause comme les bouffées de chaleur, la fatigue, la nervosité, la baisse de la libido, l'infertilité et la frigidité[20].

De plus, cette huile favorise une bonne circulation sanguine, prévenant ainsi l'artériosclérose et l'angine. On remarque aussi une amélioration dans les cas d'arthrite, d'arthrose, d'hypercholestérolémie, d'obésité, de cellulite, d'allergies, d'asthme, d'hypertension artérielle, d'irritations cutanées et du tube digestif[21].

Pour ce qui est du syndrome prémenstruel, il peut également être causé, entre autres, par une carence en calcium, en magnésium, en manganèse, en vitamines du complexe B et en acides gras essentiels (comme l'huile d'onagre). Il est donc important de s'assurer de l'apport suffisant de ces vitamines et minéraux d'abord dans son alimentation et sous forme de suppléments, au besoin, surtout si les symptômes sont prononcés[22]. Il est donc particulièrement important de se nourrir de façon saine pendant cette période. On doit privilégier une alimentation riche en fruits, en légumes et en poissons, pauvre en viande, en café et en sucre raffiné.

On explique le syndrome prémenstruel, qui apparaît une ou deux semaines avant les règles, par un excès d'œstrogènes par rapport à la progestérone. En mettant l'accent sur le soya et ses dérivés, on s'assure une bonne quantité d'isoflavones (hormones naturelles)[23].

Des repas pour tous

Même si je n'adhère pas de façon stricte à toutes les recommandations de Peter D'Adamo, je suis la vaste majorité de ses conseils et je m'en porte beaucoup mieux. Je peux dire avec certitude que l'élimination du blé, des produits laitiers et de certaines légumineuses comme les lentilles et les haricots rouges me permettent de jouir d'un régularité digestive quasi parfaite. Quand la digestion se porte bien, on prévient bien des malaises et, à long terme, une foule de maladies. J'ai également remarqué une régularité dans mon cycle hormonal. Avant d'adopter ce régime, mon cycle menstruel était irrégulier; maintenant, je suis réglée comme une horloge! Je me sens aussi plus calme et plus stable émotivement. Je déborde d'énergie en dormant six ou sept heures par nuit. Bref, à 39 ans, je me sens beaucoup plus en forme qu'à 20 ans. Il va sans dire qu'il y a plusieurs autres facteurs responsables de mon bien-être; j'aurai l'occasion d'y revenir dans les autres chapitres.

Mais, comment peut-on composer des repas pour les membres d'une même famille qui ne sont pas du même groupe sanguin? D'abord, disons que la grande majorité des gens appartiennent aux groupes A et O; peu de gens font donc partie des groupes B et AB. Il est assez facile de combiner des recettes qui conviennent parfaitement aux membres des groupes A et O. Mon conjoint fait partie du groupe A et nous avons réussi à nous répertorier un ensemble de recettes tout aussi délicieuses les unes que les autres, car nos listes d'aliments bénéfiques et neutres renferment bien des similarités. Par exemple, la plupart des produits laitiers sont à proscrire pour les deux. Nous utilisons des boissons de soya dans nos céréales et dans nos recettes. Nous mangeons de la délicieuse crème glacée à base de soya ou de riz. André peut consommer plus de fromage que moi, donc il en ajoute dans ses plats à l'occasion. Nous mangeons du pain et des pâtes de kamut, d'épeautre, de sarrasin ou de seigle. Pour le reste, nous consommons des légumineuses qui sont bénéfiques pour les deux comme les fèves adukis, les doliques à œil noir, les haricots blancs et noirs. Je dois éviter les lentilles qui contiennent des lectines nocives pour moi, tandis qu'elles sont bénéfiques pour André qui adore la soupe aux lentilles. Il se fait de la soupe qu'il congèle et qu'il mange le midi quand je suis au travail, tandis que je mange de la purée de pois chiches, un aliment nocif pour les gens du groupe A.

Auparavant, nous mangions régulièrement du saumon en nous réjouissant de le voir souvent à prix réduit. Nous avons appris dernièrement par la Fondation David Suzuki que le saumon d'élevage était traité aux hormones de croissance et aux antibiotiques, tout comme la viande. Nous avons alors diminué considérablement sa consommation et nous optons pour le saumon sauvage lorsque celui-ci est disponible. Nous faisons nos salades avec les meilleurs légumes pour nous, tels l'épinard, la carotte, le persil, l'oignon vert, la betterave, la laitue romaine, etc., et nous avons adopté une nouvelle vinaigrette sans vinaigre. Bref, nous nous concentrons sur tout ce qui est bon pour les deux. Pour faciliter les choses, nous avons dressé un tableau combinant nos compatibilités et nos incompatibilités.

Il va sans dire qu'il existe une multitude de théories en nutrition. Si je vous ai exposé la théorie des groupes sanguins de Peter D'Adamo, c'est qu'elle m'est tombée sous la main. Mon conjoint André a rencontré la nutritionniste Julie Brière qui a popularisé cette théorie au Québec. L'enthousiasme de Mme Brière, qui vante les résultats de ce régime, tant pour elle que pour ses patients, m'a donné le goût d'en faire l'essai. Et voilà qu'à mon tour, j'ai eu envie de vous transmettre mon expérience, ce qui n'enlève rien aux autres courants qui me sont inconnus.

Avant d'adopter un régime quelconque ou de prendre un produit naturel, il est essentiel de consulter un spécialiste de la santé ou de la nutrition, car les besoins diffèrent d'une personne à l'autre. Il est faux de prétendre que les produits naturels n'ont aucun effet secondaire. D'ailleurs, le gouvernement du Canada a commencé à réglementer les suppléments alimentaires. Je considère que chacun est responsable de sa santé et qu'il est important de s'informer sur l'évolution des recherches scientifiques en la matière.

Pour terminer, je vous suggère trois excellents livres de recettes végétariennes:

GÉNETTE, Madeleine. *Cuisine végétarienne*, tome 2, Saint-Jérôme, Les éditions Laroche enr., 1999.

FRAPPIER, Renée. *Le guide de l'alimentation saine et naturelle*, tome 1, Longueuil, Les éditions Maxam, Renée Frappier, 1987.

PLANTE, Colombe. *Muffins et brioches*, Varennes, Les éditions AdA inc., 1998.

NOTES

1. Mona Hébert, «La cure de printemps, le grand ménage», *Guide ressources*, mai 1998, p. 13-20.

2. *Ibid.*

3. Lise Guénette, «Le thé vert», *La Vallée*, juin 2002, p. 17.

4. Renée Frappier, *Le guide de l'alimentation saine et naturelle*, tome 1, Longueuil, Les éditions Maxam, Renée Frappier, 1987.

5. *Ibid.*

6. Julie Brière, «Êtes-vous un végétarien en manque?», *Guide ressources*, avril 1998, p. 34-38 et p. 52.

7. Renée Frappier, *Le guide de l'alimentation saine et naturelle*, *op. cit.*

8. *Ibid.*

9. *Ibid.*

10. *Ibid.*

11. Peter J. D'Adamo, N.D., *4 groupes sanguins, 4 régimes*, Montréal, Les éditions du Roseau, 1999.

12. *Id.*, p. 47.

13. Peter J. D'Adamo, N.D., *4 groupes sanguins, 4 modes de vie*, Neuilly-sur-Seine, Michel Laffon, 2002.

14. Luc Mathieu, N.D., «À la rescousse du système immunitaire», *Top Santé*, vol. 7, n⁰ 8, décembre-janvier 1999, p. 26.

15. Hélène Baribeau, «Zoom sur la boisson de soya», *Guide ressources*, janvier 2000, p. 29-31.

16. Micheline O'Shaughnessy, «Prévenir les cancers hormono-dépendants», *L'émeraude plus*, vol. 1, n⁰ 5, mai-juin 2002.

17. Claude Aubert, «Les quatre saisons du jardinage», *Mens*, janvier-février 2001; www.terrevivante.org.

18. Ignace Daher, «Les dangers secrets du soya, pour ou contre le soya», *Journal Vert*, automne-hiver 2002, p. 8.

19. Hélène Baribeau, «Zoom sur la boisson de soya», *op. cit.*

20. René Pomerleau, «L'huile d'onagre», *Top Santé*, octobre 1999, p. 10.

21. *Ibid.*

22. Jean-Yves Dionne, «Le syndrome prémenstruel: malédiction ou incompréhension?», *Vitalité Québec*, octobre 1999, p. 34-35.

23. *Ibid.*

Chapitre 4

L'environnement

L'agriculture biologique

Une chose est sûre: quel que soit le régime adopté, l'essentiel demeure la qualité des aliments. Il y a quelques années, je me suis convertie à l'alimentation biologique parce que je me souciais de l'impact des pesticides sur la santé et l'environnement. Personnellement, je n'ai pas ressenti de malaises en consommant des aliments chimifiés, mais j'ai beaucoup lu à ce sujet.

L'élément déclencheur: la rencontre d'un petit garçon de 11 ans, Jean-Dominic Lévesque-René, hospitalisé à l'hôpital Sainte-Justine pour un lymphome non hodgkinien, un cancer du système immunitaire. C'est le cancer le plus relié (même chez les chiens) au 2,4-D, l'herbicide le plus utilisé dans le monde. Le National Cancer Institute américain soupçonne que 95 % des pesticides causent le cancer, particulièrement les cancers du cerveau, de la prostate, du sein et du poumon; ils provoqueraient aussi la maladie de Parkinson, la fatigue chronique, des troubles psychiatriques, l'infertilité, des malformations congénitales et des fausses couches[1].

Aujourd'hui, Jean-Dominic est un beau jeune homme de 18 ans. Il a survécu grâce à son courage et à sa détermination, qui lui ont permis de livrer une lutte coriace aux industries qui produisent des pesticides. Alors que ses camarades fréquentaient l'école et s'adonnaient à des jeux de leur âge, Jean-Dominic entreprenait une colossale recherche sur l'effet des pesticides sur la santé. Il a découvert que sa maladie était directement reliée à ces substances et que plusieurs enfants en étaient atteints dans son quartier (l'Île-Bizard en banlieue de Montréal), où l'on trouve plusieurs terrains de golf fréquemment traités aux pesticides. Jean-Dominic a décidé de rendre ses découvertes publiques dans tous les grands médias; il a même rencontré Brian Mulroney, premier ministre du Canada à l'époque, et il s'est entretenu avec le prince Charles d'Angleterre, un écologiste reconnu.

Évidemment, le contact direct avec des pesticides, par exemple en marchant pieds nus sur une pelouse fraîchement arrosée, est plus dangereux que l'ingestion de très faibles quantités de résidus dans les aliments. Par contre, à long terme, on peut voir apparaître chez des enfants et des adultes des séquelles sur les plans neurologique et endocrinien et même des troubles de comportement[2].

La contamination par les pesticides se fait aussi par l'eau en milieux urbain et rural. Ceux-ci entrent dans le réseau d'eau potable en étant lessivés du sol ou des plantes contaminées, ou encore après avoir été vaporisés sur le terrain jalonnant les maisons[3].

L'agriculture biologique, elle, n'utilise que des engrais naturels, des semences non traitées et non manipulées génétiquement, sur des sols exempts d'intrants chimiques pendant une période d'au moins trois ans. Pour ce qui est de l'élevage des animaux, on interdit l'utilisation d'antibiotiques et d'hormones de croissance. Pour se servir de l'appellation «biologique», les agriculteurs doivent être certifiés par une association accréditée par un organisme paragouvernemental, le Conseil d'accréditation québécois. Selon une nouvelle loi, tout produit étiqueté «bio» doit porter la marque de l'accréditation, par exemple OCIA[4] (Organic Crop Improvement Association).

Les produits certifiés biologiques (légumes, fruits, huiles, céréales, etc.) sont plus chers que les produits traités chimiquement. Lorsque je me suis convertie au bio, j'ai fait un grand saut devant la différence de prix. Je me suis demandée si cela en valait la peine. J'ai vérifié auprès de plusieurs producteurs et détaillants afin de trouver les meilleurs prix. Certains agriculteurs forment des coopératives dont les consommateurs financent la récolte au début de la saison et reçoivent un panier hebdomadaire de fruits et de légumes récoltés. On économise de 10 % à 50 % par rapport à l'achat en magasin. Toutefois, je n'aime pas ce système car le consommateur ne choisit pas ce qu'il y aura dans son panier. J'aime bien choisir mes aliments préférés même si je dois payer plus cher. J'ai longtemps fait affaire avec un des premiers producteurs biologiques du Québec, André Godard de Saint-André près de Mirabel, au nord de Montréal. Il venait chez nous chaque semaine avec son petit camion lorsque nous demeurions dans le village de Sainte-Adèle. Nous pouvions choisir nous-mêmes nos fruits et nos légumes, tout en bénéficiant d'excellents prix. Mais, depuis notre déménagement loin du village, nous avons dû renoncer à ce privilège. Heureusement, j'ai trouvé un magasin d'aliments naturels à Saint-Jérôme où les prix sont abordables et le service, hors pair.

André et moi faisons maintenant germer des graines de tournesol et de sarrasin, que nous mettons en terre pour en faire des pousses, ce qui a pour effet d'ajouter de la saveur à nos salades et, surtout, une source inestimable de nutriments que l'on ne retrouve que dans l'alimentation vivante. L'aliment germé renferme de 4 à 10 fois plus de vitamines. Les minéraux sont aussi plus facilement assimilables, ce qui a pour effet de faciliter la digestion et de régénérer l'organisme[5].

Ces pousses sont aussi délicieuses les unes que les autres et se complètent sur le plan nutritif: le sarrasin contient de la chlorophylle, des vitamines C et E, du calcium, de la lécithine et de la rutine, alors que le tournesol renferme des acides aminés essentiels ainsi que du magnésium, du potassium et du phosphore[6].

La préparation est d'une grande simplicité. Il suffit de faire tremper les graines de 12 à 15 heures dans un contenant que l'on recouvre d'un tissu foncé pour assurer une obscurité totale. Ensuite, on vide l'eau du contenant et on laisse germer les graines plusieurs heures (la durée varie selon les espèces), en les recouvrant toujours du morceau de tissu. Enfin, on met les graines germées en terre pendant deux jours dans un endroit obscur, puis on les laisse pousser quelques jours au soleil. L'idéal est de couper les pousses au fur et à mesure que l'on veut les manger ; ainsi, on bénéficie de la fraîcheur maximale qui assure la pleine valeur nutritive.

Aujourd'hui, je peux dire que ma consommation d'aliments est presque entièrement biologique, en ce qui concerne les farines, le pain, les céréales, les légumineuses, les herbes, les légumes et les pommes. Cependant, le prix exorbitant et la rareté de certains fruits et légumes biologiques font que j'inclus également des fruits et des légumes non bio dans mon alimentation.

J'ai aussi eu la chance de tomber sur un ouvrage américain scientifique de qualité, *The Safe Shopper's Bible*[7], rédigé par David Steinman et Samuel Epstein. Les auteurs énumèrent et analysent la toxicité de plusieurs produits domestiques, notamment les peintures et les vernis, les pesticides, les produits pour animaux, les produits pour la voiture, les jouets, les cosmétiques, les produits capillaires et dentaires ; ils consacrent une grande section aux aliments – les fruits, les noix, les légumes, la viande, les produits laitiers, les œufs, les huiles et les condiments, les boissons et j'en passe.

J'ai consulté chacune des catégories qui indiquent les niveaux de risque de cancer : 1. pas ou très peu de risques ; 2. risques minimes ; 3. grands risques. Les produits à plus faibles risques sont à privilégier, bien sûr. À ma grande surprise, plusieurs produits commerciaux courants sont recommandés, alors que certains produits naturels ne le sont pas à cause d'ingrédients particuliers. Pour ce qui est des légumes, on mentionne, par exemple, que le concombre, l'épinard, le céleri, le persil, la pomme de terre, le brocoli, la laitue romaine, entre autres, comportent beaucoup de pesticides potentiellement cancérigènes et présentent un risque pour la santé. Par contre, d'autres légumes, sans nécessairement être de culture biologique, présentent très peu de risques pour la santé, notamment l'artichaut, le haricot vert, l'oignon et le navet. Quant aux fruits, ceux qui renferment le plus de pesticides sont la pomme, le cantaloup, le raisin, la pêche, la poire, la fraise, etc. L'abricot, la mûre, la banane, la clémentine, le pamplemousse, le kiwi, le citron, la mangue, l'orange, l'ananas et le melon d'eau contiendraient moins de résidus.

Je me sers maintenant de ces données pour répartir mes achats, tant pour les aliments certifiés biologiques que pour ceux qui sont cultivés de manière conventionnelle. Par exemple, j'achète des épinards, de la laitue romaine, du persil, du céleri, des betteraves, des carottes toujours certifiés biologiques. Pour ce qui est des oignons, des échalotes, du navet, des haricots verts, j'opte pour le marché commercial.

Je fais la même chose pour les fruits. Comme les fruits biologiques sont beaucoup plus coûteux que les légumes, je me contente de consommer les fruits recommandés, soit le pamplemousse rose, la mangue, la banane et le melon d'eau. J'achète des pommes biologiques car je les trouve indispensables à mon alimentation; elles accompagnent bien le lunch et ont une bonne valeur nutritive en pectine.

Je lisais dernièrement sur la grande valeur nutritive du pamplemousse rose, du melon d'eau et de la tomate. Ces fruits rosés contiennent du lycopène, qui est un antioxydant puissant. Selon des études scientifiques, on attribue au lycopène un pouvoir de protection contre le cancer de la prostate, du poumon, du sein et du côlon.

Pour certains, s'alimenter ainsi constitue un véritable casse-tête relevant d'une certaine hystérie, mais pour moi, remettre mon alimentation en question m'a fait comprendre que la vie nous permet d'acquérir des connaissances afin d'évoluer et d'atteindre un mieux-être. J'ai la ferme conviction que l'on est guidé vers la source de connaissances qui nous convient au moment où elle nous tombe dans les mains. Il suffit de vouloir évoluer pour que la vie réponde à notre appel et nous achemine vers la meilleure source. Comme je le mentionnais auparavant, notre intuition doit toujours nous accompagner dans la façon d'utiliser ce que nous lisons ou entendons afin d'en adapter le contenu à notre individualité. N'oublions pas que nous sommes uniques. Il n'existe aucune photocopie de nous-mêmes.

Les teintures à cheveux

Les teintures à cheveux font partie des produits les plus cancérigènes sur le marché. Bien des auteurs nous mettent en garde contre l'usage régulier des teintures permanentes et semi-permanentes, en particulier pour les couleurs foncées. On associe l'usage fréquent de ces teintures au risque élevé de développer un lymphome non hodgkinien, le myélome multiple, la leucémie, la maladie de Hodgkin et le cancer du sein. L'ingrédient le plus dangereux, donc à éviter absolument, est le phénylènediamine. Les pigments que l'on utilise pour constituer la couleur peuvent également être dangereux. On doit éviter les produits suivants: orange acide nᵒ 87, brun solvant nᵒ 44, bleu acide nᵒ 168, violet acide nᵒ 73, car ils sont cancérigènes[8].

Je croyais, comme plusieurs, qu'il suffisait de choisir des teintures sans ammoniaque et avec un faible taux de peroxyde (de préférence le produits semi-permanents) pour éviter de tels problèmes. À ma grande surprise, même les teintures qui semblent douces et sans odeur, comme certaines teintures vendues dans les magasins d'aliments naturels, peuvent contenir ces produits toxiques.

Devant ces faits bouleversants, j'ai donc temporairement fait le deuil de me teindre les cheveux, moi qui, jusqu'alors, paraissais au moins cinq ans plus jeune que mon âge. Je n'ai aucune ride sur le visage, mais j'ai pas mal de cheveux blancs pour 39 ans. Je ne réussissais pas à trouver de teintures complètement naturelles exemptes de produits chimiques cancérigènes. André a même cherché pour moi dans Internet, sans succès. J'ai passé environ un an sans me teindre les cheveux, laissant paraître mes cheveux blancs au grand jour. Mon conjoint affirmait que ça me donnait un air de sagesse; moi, je trouvais que ça me donnait un air négligé.

Puis, un jour, j'ai décidé de réessayer la teinture au henné que j'avais déjà utilisée sans grand succès. Il s'agit d'une poudre verte que l'on doit mélanger avec de l'eau chaude et que l'on applique à l'aide d'un pinceau; ensuite, on couvre son cuir chevelu avec un bonnet de douche pendant une heure. On a l'impression d'avoir un bol de gruau sur la tête!

La première fois, la procédure m'a semblé compliquée et peu efficace, mais j'avais omis de bien lire les instructions sur la boîte. On disait que, pour bien camoufler leurs cheveux blancs, les personnes aux cheveux foncés devaient d'abord mettre une teinture rousse, puis faire une deuxième teinture, brune celle-là, pour éviter que les cheveux soient verts! C'est ce que j'ai fait et ça a fonctionné: j'ai été enchantée des résultats. Cela me donne une tête colorée: mes cheveux sont bruns foncés et mes cheveux blancs sont devenus roux; le tout s'harmonise bien et a l'allure des mèches.

Il est évident qu'une teinture complètement naturelle à base uniquement de plantes (d'ailleurs ça sent le gazon!) ne couvre pas autant qu'une teinture chimique. Mais je me suis habituée à cet effet et j'ai même reçu des compliments. Je suis heureuse d'avoir trouvé une solution de rechange qui me permet de couvrir mes cheveux blancs sans nuire à ma santé.

NOTES

1. André Fauteux, «Pesticides et cancer: Sainte-Justine enquê-
    tera», *La maison du 21ᵉ siècle*, février 1995, p.1-2; www.
    21e siecle.qc.ca.

2. Dʳ Kelly Martin, «Environnemental Health Commitee for
    Family Physicians: Dossier pesticide. Les pesticides et la
    santé», *Bio-Bulle*, nᵒ 22, 1999.

3. *Ibid.*

4. Chantal Legault, «Choisir bio au Québec», *Gazette officielle
    des thérapeutes*, 2001, p. 22-24.

5. Renée Frappier, *Le guide de l'alimentation saine et naturelle*,
    tome 1, Longueuil, Les éditions Maxam, Renée Frappier,
    1987.

6. *Ibid.*

7. Dʳˢ D. Steinman et S. Epstein, *The Safe Shopper's Bible*: *A
    Consumer's Guide to Non Toxic Household Products,
    Cosmetics and Food*, New York, Macmillan, 1995.

8. *Ibid.*

Chapitre 5

L'exercice physique

L'exercice physique a été pour moi le deuxième remède miracle à mes maux, tant physiques que psychologiques. J'ai toujours été particulièrement active. J'ai commencé à faire du ski alpin à six ans et j'ai eu la chance d'avoir une passe de ski pendant plusieurs années. L'été, à la campagne, je nageais tous les jours de grandes distances, je marchais pendant des heures, en plus de faire plusieurs autres activités nautiques et de jouer au badminton.

Après la mort de ma mère, je suis devenue plus sédentaire. Étant à l'université, je me consacrais beaucoup à mes études et je ne faisais du ski alpin que quelques fois dans l'hiver. En été, je travaillais et je m'ennuyais terriblement de la nature. Je me contentais de marcher et de m'offrir quelques jours de camping.

Quand ma santé a commencé à se détériorer à cause de mes migraines et de mes grippes à répétition, j'ai pris conscience de mon manque d'activité physique, surtout quand j'ai senti de grosses douleurs aux jambes. C'est alors que j'ai décidé d'inclure une routine d'exercices dans ma vie. Je commençais ma journée par des étirements, suivis de quelques postures de yoga. André et moi marchions pendant au moins une heure par jour dans les belles rues d'Outremont et nous faisions du ski de fond sur le mont

Royal. Je me suis même acheté un vélo stationnaire. Après quelques semaines, j'ai tout de suite remarqué une différence. J'avais beaucoup plus d'énergie et de vitalité, je dormais mieux, j'avais un meilleur moral et je ne souffrais plus de maux de jambes.

L'exercice stimule la circulation et oxygène l'organisme, en plus de favoriser le processus d'élimination et l'équilibre psychologique. Il prévient de nombreuses maladies et favorise la longévité. Il constitue un excellent moyen pour ventiler frustrations et pensées négatives. Une bonne dose d'exercices permet de relâcher les tensions; cela favorise le calme intérieur et apaise la colère. Il est préférable de sortir pour faire une longue promenade à pied que de rester en présence d'agents stresseurs...

Aujourd'hui, l'exercice en plein air constitue une de mes plus grandes priorités. Comme je fais un travail très sédentaire qui se résume à des consultations individuelles et à des ateliers, mon corps a besoin de s'activer et de libérer les énergies que j'absorbe au cours d'une journée. Vivant au cœur des Laurentides, au bord d'un lac entouré de montagnes, je fais un minimum de deux heures d'exercices quotidiennement, et ce, même les journées où je travaille. En vacances, ça peut aller jusqu'à quatre heures par jour. Les principaux sports auxquels je m'adonne sont le vélo (nous vivons à deux kilomètres du parc linéaire du p'tit train du Nord), le ski de fond, la randonnée pédestre, la natation et le canot. Je ne fais presque plus de ski alpin ni de tennis. Je préfère les sports méditatifs et solitaires en contact avec la nature.

Ces activités représentent pour moi de véritables antidépresseurs. Elles me procurent une grande détente et un défoulement. Elles me permettent aussi de jouir pleinement du moment présent et d'entrer en contact avec l'infinie beauté de la nature. Si je n'assure pas à mon corps un minimum d'une heure d'activité physique par jour, j'en ressens les effets instantanément: je suis plus fatiguée et irritable, et je risque de souffrir de constipation et d'insomnie si ma sédentarité se prolonge.

C'est en lisant le livre de Peter D'Adamo, *4 groupes sanguins, 4 régimes*, que j'ai compris que les personnes appartenant au groupe sanguin O ont davantage besoin d'exercice: «Votre sang porte en lui un mécanisme de défense qui permet d'intenses explosions d'énergie physique. Lorsque vous vous trouvez confronté à un stress, votre corps prend le contrôle de la situation et vos glandes surrénales sécrètent un flux d'adrénaline qui stimule vos muscles. Si vous avez la possibilité d'évacuer votre stress à ce stade grâce à une activité physique, le plus mauvais stress peut se transformer en expérience positive[1].»

L'auteur recommande aux personnes du groupe O un programme régulier d'exercices intensifs afin de conserver leur grande vitalité. Pour les gens appartenant aux autres groupes sanguins, il conseille des exercices plus modérés selon leur groupe spécifique. Chaque personne a des besoins différents en fonction de son âge, de son état de santé et de ses capacités physiques. Il existe aujourd'hui, et ce, pour tous les groupes d'âges, de multiples possibilités pour activer son corps et lui conserver sa souplesse, comme le taï chi, le yoga, l'antigymnastique. Il n'existe donc aucune excuse pour ne pas répondre à ce besoin fondamental, tant pour le corps que pour l'esprit.

NOTE

1. Peter D'Adamo, *4 groupes sanguins, 4 régimes*, Montréal, Les éditions du Roseau, 1999, p. 127.

Chapitre 6

Le sommeil

Le manque de sommeil a presque toujours été un problème dans ma vie, malgré les nombreux efforts que j'ai faits dans les autres domaines. On dit que les besoins de sommeil diffèrent d'une personne à l'autre. Personnellement, après sept heures de profond sommeil, je me réveille en pleine forme.

Les gens comme moi, qui réfléchissent beaucoup et dont l'activité mentale est très intense, éprouvent souvent des difficultés à dormir. Ce qui favorise le sommeil, c'est d'abord la détente. Le cerveau n'est pas un interrupteur que l'on ferme instantanément. On doit s'accorder un moment de repos avant de se mettre au lit. Je suis incapable de m'endormir après un travail intellectuel ou une discussion animée.

Voici les moyens que j'utilise pour m'aider à dormir.

Aspect physique

Je marche rapidement pendant 40 minutes, tous les soirs après le repas, dans la montagne située à 100 mètres de chez moi. Cette activité facilite ma digestion, me permet de ventiler mes idées et active mon système cardiovasculaire. De retour à la maison, je fais ma toilette et je me mets en pyjama, de sorte que lorsque je sens le sommeil venir, je suis prête à me mettre au lit. Je m'installe devant un bon film ou je lis un livre en écoutant une musique douce et en buvant une tisane de plantes calmantes (comme la valériane, la camomille, la passiflore). Dans ma chambre, quelques minutes avant de me coucher, je mets en marche un diffuseur à huiles essentielles (il existe des mélanges spécialement destinés au sommeil); ensuite, je m'installe au lit avec un bon livre, une lumière tamisée et une musique relaxante.

J'essaie autant que possible de ne pas me mettre au lit avant que mes paupières se fassent lourdes. J'ai la chance d'avoir un conjoint particulièrement généreux et attentionné qui me masse régulièrement, parfois même au milieu de la nuit quand je n'arrive pas à trouver le sommeil.

Je suis naturellement une lève-tôt, c'est-à-dire entre 5 h et 5 h 30. Les fins de semaine, je ne dépasse pas 6 h 30, quelle que soit l'heure à laquelle je me couche. J'essaie de maintenir un horaire de sommeil régulier: coucher entre 21 h et 22 h, et lever entre 5 h et 6 h. Si je me couche plus tard les fins de semaine, je fais une sieste l'après-midi, ce qui me permet de reprendre les heures de sommeil perdues.

Aspect environnemental

Depuis que je demeure dans une maison saine, j'ai remarqué des changements importants dans la qualité de mon sommeil. Je dors mieux et j'ai moins besoin de sommeil pour récupérer.

La chambre doit favoriser le sommeil. Détentrice d'une maîtrise en aménagement de maisons saines, Ginette Dupuy a présenté sa vision de la chambre idéale dans un article paru dans la revue *La maison du 21ᵉ siècle*. Comme nous passons le tiers de notre vie à dormir, notre lieu de sommeil doit être un endroit sain. Notre corps offre moins de résistance la nuit, car il est en mode de récupération, donc plus sensible aux agressions environnementales. Parmi ces agresseurs, nous trouvons les champs électromagnétiques (soupçonnés par l'Organisation mondiale de la santé d'être cancérigènes) que dégagent les appareils électriques.

Certaines personnes, particulièrement les enfants, les personnes âgées et les malades, sont plus sensibles à ces champs et peuvent présenter des symptômes comme des maux de tête, de l'irritabilité, de l'insomnie. Il est donc fondamental d'éloigner tout appareil électrique à un ou deux mètres du lit, même le réveille-matin. J'ai placé le mien sur une commode à l'autre bout de la chambre. Idéalement, l'ordinateur et les gros appareils comme la télévision devraient être bannis de la chambre. Il va sans dire qu'il est préférable d'éviter les lits électriques actionnés par un moteur, ou les lits d'eau chauffés par un élément électrique.

Les pneumologues recommandent d'éliminer les tapis, surtout dans le cas des asthmatiques. «Les tapis accumulent l'électricité statique, les poussières, les vapeurs chimiques et l'humidité qui favorise la prolifération de bactéries, de moisissures et d'acariens (principaux déclencheurs des crises d'asthme)[1].»

La chambre idéale est un endroit calme et sain, loin des polluants de l'air et du bruit. Les meubles sont exempts de matériaux d'urée formaldéhyde, et de préférence en bois massif. La peinture devrait être naturelle à 100 %. Les draps et les couvertures doivent être en fibres naturelles et la douillette, en coton, en laine ou en plumes.

Afin de maximiser la récupération de notre corps, la ventilation de la chambre s'avère essentielle. Pour ne pas refroidir toute la maison, on ferme la porte de la chambre. «Une étude financée par Hydro-Québec a démontré que le taux de dioxyde de carbone (CO_2) peut s'élever à un niveau dangereux, par exemple pour le cœur, dans une chambre non ventilée et dont la porte est fermée, surtout si un tapis épais empêche le passage de l'air sous la porte[2].»

Aspect psychologique

De façon générale, si je respecte cette routine, je dors mes sept heures. Mon problème est que mon sommeil est léger, un rien me réveille: un moustique, mon chien qui change de place, mon conjoint qui se lève. Une fois réveillée, je retrouve difficilement le sommeil. Mon mental s'éveille et se met à s'activer. Les pensées sont souvent plus obscures la nuit: nos peurs surgissent et prennent des proportions plus dramatiques que le jour.

Par ailleurs, il est important de ne jamais se mettre au lit avant d'avoir sommeil. Devant une incapacité à dormir, il est préférable de ne pas rester couché, sinon on peut devenir angoissé par les heures qui filent sous nos yeux. Un bon moyen consiste à cacher son réveille-matin pour ne pas prendre conscience du temps qui passe (en s'assurant évidemment de bien le régler pour qu'il sonne à la bonne heure).

L'insomnie peut provoquer une véritable phobie. On peut en effet devenir obsédé par l'idée de ne pas dormir. Il ne faut pas paniquer si certaines nuits sont plus courtes que d'autres (une courte nuit ne vous empêchera pas nécessairement de bien fonctionner le lendemain). L'important, c'est de conserver un horaire de sommeil stable[3].

Il est important de ne pas se laisser envahir par ces monstres nocturnes qui hantent notre esprit... Il est préférable d'occuper notre mental à autre chose, par exemple en lisant ou en regardant un film (non stressant!) jusqu'à ce que le sommeil revienne.

Pour s'assurer un sommeil réparateur, on doit calmer ses pensées et ses émotions tout au long de la journée. L'insomnie est souvent le résultat de nos préoccupations quotidiennes. Adopter une attitude de confiance et de lâcher-prise face à la vie peut nous aider à atteindre cet objectif.

NOTES

1. Ginette Dupuy, «La chambre saine permet au corps de récupérer», *La maison du 21ᵉ siècle*, décembre 2000, p. 13; www.21esiecle.qc.ca.

2. *Ibid.*

3. Peter Hauri et L. Shirley, *Plus jamais de nuits blanches*, Montréal, Les éditions Logiques, 1998.

TROISIÈME PARTIE

Les aspects psychologique et spirituel

Chapitre 7

Le pouvoir de la pensée

Le pouvoir de la pensée sur le corps n'est plus contestable. Bon nombre de médecins et de thérapeutes s'entendent maintenant pour dire qu'une attitude positive constitue un facteur essentiel dans la guérison et même dans la prévention des maladies.

Nous créons notre réalité à partir de nos pensées et de nos croyances, qui, jumelées à nos émotions, déterminent les vibrations qui nous attirent des événements.

La vie peut se comparer à un jardin. Nous semons des graines qui sont nos pensées et nous en récoltons des circonstances. Lorsque la pensée est accompagnée d'une émotion, son effet en est multiplié. Nous attirons à nous des événements et des gens en résonance avec notre magnétisme[1]. C'est pour cette raison que la plupart des inventions ou des grandes réalisations ont d'abord été précédées d'un rêve nourri par une passion.

Certaines personnes, obsédées par leurs peurs, peuvent finir par attirer l'événement qu'elles redoutent. Dans son livre *Comment contrôler sa pensée*, Madeleen DuBois nous donne l'exemple d'un cas vécu, celui du célèbre chanteur John Lennon, assassiné en pleine rue. Paraît-il que ce dernier entretenait depuis quelques années une grande peur de subir ce sort. Il imaginait comment les victimes d'une telle tragédie pouvaient se sentir avant de mourir. L'intensité de son émotion était tellement forte qu'il aurait attiré à lui un tueur qui avoua par la suite n'avoir rien eu contre sa victime.

L'auteure, par cet exemple, nous fait prendre conscience de l'importance d'être vigilant face à nos pensées obsessives. Selon Mme DuBois, il serait facile d'avoir constamment des pensées nobles et élevées si nous pouvions percevoir chaque événement comme une occasion de croissance en ayant une confiance absolue face à la vie. Nous serions alors habités par une énergie de paix et de sérénité. Mais les souffrances vécues dans l'enfance ont souvent pour effet inconscient de fermer notre cœur trop vulnérable. Nous développons des mécanismes de défense pour nous protéger d'éventuelles blessures pouvant raviver notre passé douloureux. Notre mental prend le dessus en dramatisant certains aspects de notre vie afin de nous mettre sur nos gardes pour nous protéger.

Certaines personnes anticipent des événements stressants en amplifiant l'aspect négatif d'une situation réelle ou imaginaire pour mieux se préparer à l'affronter. Les individus qui souffrent du choc post-traumatique ont souvent cette réaction, le drame vécu ayant l'effet d'anéantir une partie de leur vie. Ils se mettent alors en étant d'alerte en vue d'une nouvelle attaque pour mieux se préparer à la désamorcer. Certains deviennent contrôlants, obsessifs, dépressifs ou suicidaires, s'attirant ainsi d'éternels combats prenant la tournure d'un interminable cercle vicieux.

J'ai pu moi-même expérimenter ce phénomène dans ma propre vie et constater qu'un lien puissant existe entre mes pensées et leurs résultats.

Comme je n'avais pas résolu le deuil du décès de ma mère, ma peine s'est manifestée à travers des peurs irrationnelles sous forme d'hypocondrie. C'était ma façon d'apprivoiser la peur de ma propre mort. N'ayant jamais vécu de deuil auparavant et n'ayant jamais été malade, la mort n'était, jusque-là pour moi, qu'un concept théorique. Le décès de ma mère a eu l'effet d'une bombe. Incapable d'absorber un tel choc à cette époque, j'ai bloqué mon processus de deuil en refoulant ma peine, ma colère et, surtout, ma culpabilité; ce sont les symptômes physiques qui m'ont causé une profonde angoisse. Comme le disait mon ancien professeur, le psychologue renommé Hubert Van Gijseghem, j'ai «donné mal à mon corps pour donner corps à mon mal». Ainsi, en développant une attitude d'hypervigilance face à mon corps, j'ai déplacé la souffrance de la perte de ma mère.

J'ai donc d'abord expérimenté le pouvoir de la pensée dans son aspect destructeur. Chaque symptôme suscitait en moi une véritable panique qui me conduisait souvent à une clinique médicale ou à l'urgence, tant mon besoin d'être rassurée était grand. Le soulagement était de courte durée jusqu'à ce qu'un autre symptôme se manifeste. Je me suis rendu compte que la pensée était comme un aimant qui attire l'événement correspondant. Mes peurs entretenaient et empiraient mes malaises.

Après un long et pénible cheminement, au cours duquel j'ai pu comprendre le sens de mes peurs, j'ai entrepris un processus d'autoguérison physique, psychologique et spirituel afin de retrouver ma vitalité et ma joie de vivre. J'ai déprogrammé les pensées de maladie qui occupaient tout mon être pour redonner à mon corps son pouvoir de guérison.

Cette période dura environ deux ans, soit jusqu'à mes 24 ans. Cette nouvelle hygiène de vie m'a permis de retrouver une santé vigoureuse et une pleine vitalité. J'ai constaté que plus je vieillissais et plus je me sentais rajeunir. J'étais davantage à l'écoute des besoins de mon corps et de mon esprit. Ma pensée pessimiste de mes 20 ans s'est transformée en une merveilleuse croyance que ma santé s'améliorait de jour en jour. Aujourd'hui, à 39 ans, je n'ai jamais eu autant d'énergie et d'entrain. Je ne consulte jamais de médecins, sauf pour un examen gynécologique de routine tous les deux ans.

Plusieurs autres événements m'ont permis de constater la force de ma pensée. Le premier été, peu après mon arrivée dans les Laurentides, comme je travaillais depuis quelques mois au centre d'accueil, j'avais droit à seulement deux semaines de vacances, tandis que mes collègues en avaient tous au moins quatre. Cela m'a profondément irritée. Je ne pouvais pas m'imaginer travailler tout l'été, alors que je voulais profiter de cette belle nature. Je verbalisais souvent à quel point je souhaitais avoir congé tout l'été, si bien que mon vœu s'est finalement réalisé!

C'était au début de l'été, vers le 25 juin. J'animais une activité de balle molle pour les garçons du centre. Après quelques minutes de jeu, je suis entrée en violente collision avec un coéquipier, très costaud, qui cherchait à attraper la balle au même moment que moi. Je me suis retrouvée au sol, inondant le gazon de mon sang et incapable de me relever. On m'a transportée à l'urgence où l'on a diagnostiqué une fracture de la clavicule et du nez avec de multiples contusions. J'ai donc été indemnisée par la Commission de la santé et de la sécurité du travail du Québec pour une bonne partie de l'été, étant incapable de retourner au travail, après quoi j'ai eu droit à mes dix jours de vacances. Je me suis donc prélassée chez moi pendant huit semaines, exactement comme je l'avais souhaité mais pas dans le même état physique! Après cet événement, j'ai commencé à être plus vigilante en ce qui concerne mes pensées et mes besoins. Si je vivais des frustrations face à une situation, je tentais d'y remédier sainement et si je ne pouvais rien y changer, je tentais d'y voir les aspects positifs. Ce qui ne m'a pas empêchée de me faire à nouveau prendre au piège...

À la suite du décès de ses parents, mon conjoint a hérité de certaines pièces d'argenterie que nous avions placées dans notre buffet de salle à manger. Nous n'étions pas particulièrement enchantés par ce cadeau puisque l'ensemble était incomplet et que nous n'avions ni le temps ni la discipline pour l'entretenir. Nous nous disions souvent qu'il avait une grande valeur mais qu'il ne serait pas rentable de le vendre.

Un soir, en revenant de travailler, j'ai constaté que la porte extérieure menant au sous-sol était ouverte. Je me suis précipitée dans la maison, soupçonnant qu'il s'agissait d'un vol. À mon grand soulagement, la maison était en ordre et tous les appareils électroniques, y compris les ordinateurs, étaient à leur place. J'ai donc cru qu'André avait dû mal refermer la porte. Puis, je suis montée dans ma chambre pour constater que mon coffre à bijoux avait disparu. Je suis descendue dans la salle à manger pour appeler la police et leur signaler le vol. Je m'apprêtais à leur dire qu'il s'agissait seulement de mon coffre à bijoux quand, tout à coup, j'ai remarqué qu'une étagère du buffet était complètement vide. L'argenterie avait disparu !

Nous avons été très chanceux dans notre malchance, puisque notre compagnie d'assurances nous a bien indemnisés. Pour établir la valeur des pièces d'argenterie, elle a fait analyser le type d'argent en prélevant un échantillon sur une pièce appartenant à ma belle-sœur. Heureusement, nous avions aussi des photos montrant ces objets dans notre salle à manger.

Encore une fois, nous avons envoyé des pensées sans les structurer dans un contexte précis et, malgré le caractère cocasse de la situation, nous avons attiré des circonstances qui auraient pu s'avérer dangereuses. Nous nous sommes demandé si les voleurs reviendraient prendre le reste, mais nous avons plutôt orienté nos pensées vers la lumière et la protection.

Ces événements m'ont fait comprendre qu'il est très important d'être à l'écoute de son discours intérieur, de ses émotions, de ses pensées, de ses paroles puisque celles-ci génèrent une vibration attirant l'événement correspondant.

Le principal défi se trouve dans notre capacité à supporter le délai qui existe entre nos pensées et la matérialisation de celles-ci. Il ne faut pas s'attendre à ce que notre vie change instantanément parce que nos pensées sont plus positives. Certaines personnes se plaignent que le sort s'acharne sur elles alors qu'elles ont modifié leurs pensées. Ce que nous attirons aujourd'hui relève de pensées antérieures, alors que nos pensées actuelles préparent notre futur. Vivre cette croyance au quotidien exige une foi et une discipline empreintes de patience et de persévérance.

Depuis quelques années, je me suis aperçue que plus je maîtrise mes pensées et plus elles se manifestent rapidement, même dans les détails les plus anodins. Par exemple, j'ai souvent remarqué que, lorsque je pense à faire un achat et que je sais exactement ce que je veux, au bout de quelques jours, je trouve cet article en rabais.

Le même phénomène se produit dans mon travail. Mon horaire est assez chargé. Je partage mon temps entre mes rencontres de suivi individuel, mes cours et mes conférences, tout en me gardant du temps pour les urgences. Il m'arrive régulièrement d'avoir à composer avec des urgences, alors que mon agenda est plein de rendez-vous. Très souvent, au moment où la personne en état d'urgence se présente à mon bureau, comme par hasard celle que je devais voir est absente et revient à un moment où je suis disponible. En cultivant la croyance que je gère parfaitement mon temps et que l'Univers met sur ma route les personnes que je dois rencontrer chaque jour et les événements pertinents, j'attire ce genre de situation. Mon travail devient alors plus enrichissant et beaucoup moins stressant, puisque j'ai tout le temps nécessaire pour accomplir mes tâches.

Nous pouvons dès aujourd'hui choisir notre réalité, en commençant d'abord par reconnaître les éléments bénéfiques dans notre vie au lieu de nous attarder à nos manques et à nos frustrations. La gratitude permet de modifier la qualité de notre énergie. Plus nous reconnaissons la beauté autour de nous et plus elle se manifeste. De la même façon, nous sommes toujours prêts à donner davantage aux gens qui nous apprécient. «Tant que vous remerciez l'Univers pour l'abondance dont vous jouissez, celui-ci vous en offre davantage. Dès que vous exprimez votre gratitude, vous augmentez la lumière de votre aura. C'est par votre cœur que ce changement intervient, parce que le cœur est la source d'où naît la gratitude. En rendant grâce, vous ouvrez votre cœur. Votre cœur est la porte de votre âme: c'est un pont entre le monde de la forme et le monde de l'essence. La gratitude et le remerciement sont les voies directes du cœur, de votre essence et de votre âme[2].»

NOTES

1. Madeleen DuBois, *Comment contrôler sa pensée*, Outremont, Éditions Quebecor, 1995.

2. Sanaya Roman, *Choisir la joie*, Sarzeau, Ronan Denniel, 1986, p. 100.

Chapitre 8

La gestion des émotions

Selon moi, penser positivement ne signifie pas que l'on doive faire abstraction des émotions douloureuses en souriant bêtement devant les difficultés de la vie. Une émotion forte nous révèle qu'un aspect de nous-mêmes entre en résonance avec une souffrance. Pour favoriser la transformation d'une émotion douloureuse en un état de sérénité et de paix, il faut d'abord la reconnaître, l'accepter, la ressentir et l'exprimer. L'aspect bénéfique ou néfaste réside dans notre réaction, et non dans l'émotion elle-même. Lorsque nous jugeons négativement notre ressenti, notre pensée en est affectée. Devant un échec, nous pouvons ressentir de la frustration et de la peine sans pour autant adopter une attitude sévère et dénigrante face à notre insuccès.

Je crois que pour arriver à véritablement contrôler ses pensées, on doit d'abord apprendre à gérer ses émotions. Pour moi, une émotion est un état affectif soudain et immédiat, généralement intense qui survient à la suite d'un élément déclencheur. Qu'elle soit agréable ou désagréable, l'émotion se contrôle difficilement. On peut toutefois davantage contrôler sa réaction face à l'émotion ressentie. L'important est de liquider ses émotions, sinon celles-ci s'accumulent et le vase finit par déborder. Voici les étapes que je propose aux étudiants qui viennent me consulter:

1. **Reconnaître l'émotion que l'on vit**. Par exemple, s'agit-il de colère, de peine, de tristesse, de frustration, de joie, d'excitation?

2. **Accepter ses émotions sans les juger et sans se juger**. Il s'agit de l'étape la plus difficile, puisqu'elle nous amène à reconnaître que certaines situations ou personnes nous affectent. Nous nous sentons vulnérables face au pouvoir qu'elles ont sur nous, alors que nous préférerions toujours rester en contrôle. Nous devons faire preuve d'humilité.

3. **Prendre du recul: regarder ce qui nous appartient et ce qui appartient à l'autre**. Lorsqu'une personne déclenche en nous un malaise, il est préférable d'établir une certaine distance pour mieux comprendre la situation et éviter d'entrer dans une lutte de pouvoir. Une juste perception est essentielle pour saisir notre part de responsabilité dans un conflit sans pour autant minimiser celle de l'autre.

4. **Exprimer ses émotions**. Une fois reconnue et acceptée, l'émotion doit être liquidée. On choisit le moyen d'expression le plus propice, selon sa personnalité et la situation. C'est à cette étape que s'exerce notre libre arbitre. On a le choix d'améliorer la situation ou de l'empirer. Par exemple, on peut choisir de prendre une distance face à quelqu'un qui nous a mis en colère et d'écrire nos émotions, comme on peut choisir de se venger, ce qui aura pour effet d'aggraver la situation et d'amplifier la colère existante.

   Parmi les moyens d'expression, on trouve: pleurer, écrire, se confier à une personne fiable et capable d'accueillir sans juger, faire du sport, jouer un instrument de musique, chanter, dessiner, etc., bref, tout ce qui permet d'évacuer la tension et de se sentir apaisé. Il s'agit de répondre au besoin que suscite l'émotion. Par exemple, un besoin de solitude, de se confier ou de s'évader.

5. **Adopter une attitude constructive**. Il s'agit d'éviter d'adopter un rôle de victime en blâmant la personne ou la situation pour notre état affectif. Nous avons créé la situation pour mieux la transcender. Même les épreuves les plus

pénibles nous apportent une leçon bénéfique. Une fois que les émotions ont été acceptées et liquidées, il est plus facile d'ajuster notre perception vers une pensée créatrice.

6. **Passer à l'action**. Il s'agit de décider la suite que l'on veut donner à la situation vécue. Nous pouvons laisser passer le temps, régler le conflit avec la personne concernée ou consulter une personne-ressource en vue de nous éclairer dans notre décision. L'important est de décider d'une action, sinon on reste dans un état d'inhibition, ce qui a pour effet de créer ou d'amplifier l'anxiété. Comme disait Frédéric Hurteau, spécialiste en psychologie transpersonnelle, lors d'une conférence: «Ce qui ne s'exprime pas s'imprime», en parlant du lien entre les émotions refoulées et la maladie.

Pour avoir accès à notre intuition, il est essentiel d'installer le calme en soi. Les moments de solitude et de paix nous permettent de trouver les réponses à nos questions.

Chapitre 9

L'intuition et la méditation

L'intuition

L'intuition est un concept qui peut différer d'une culture ou d'une religion à une autre. Par contre, elle est reconnue comme étant cette petite voix qui se loge à l'intérieur de nous et qui nous interpelle à l'occasion tout en dépassant le raisonnement. Certains considèrent cette petite voix comme étant une manifestation de Dieu, du Saint-Esprit ou d'un ange gardien. Je préfère parler de guide intérieur.

Étant jeune, j'étais très intuitive. Comme je vivais dans un environnement où les vibrations étaient lourdes et malsaines la plupart du temps, je pressentais facilement les drames. Je ne savais pas comment contrôler mon intuition, j'absorbais les énergies sans trop m'en rendre compte. Il m'est arrivé à deux occasions de savoir avec une certitude absolue que deux personnes étaient décédées alors que personne ne m'en avait averti. Je devais avoir 15 ans à l'époque. Nous étions à notre chalet d'été. Je revenais d'une baignade quand, en entrant dans la maison, encore toute mouillée, je me suis dirigée spontanément vers le journal, que j'ai ouvert à la section des décès, moi qui ne lisais jamais ce type de publication. Sans prendre conscience de ce que je faisais, j'ai directement pointé mon doigt sur le nom de mon parrain qui, depuis quelques mois, souffrait d'un cancer mais sans être en phase terminale. J'ai alors annoncé la mauvaise nouvelle à ma mère et à ma sœur Sylvie, qui m'ont regardée d'un air abasourdi. Il faut spécifier que nous n'avions pas le téléphone, donc il n'y avait aucun moyen de nous joindre. En arrivant au salon funéraire, ma marraine s'est empressée de dire à ma mère à quel point elle avait pensé à elle et avait souhaité qu'elle vienne aux funérailles de son mari. J'ai alors compris que j'avais été la messagère.

J'ai longtemps bloqué mon intuition de peur qu'elle ne m'amène encore sur des terrains lugubres, jusqu'au jour où j'ai revécu la même expérience avec ma sœur Sylvie dont j'étais très proche. J'ai eu ma dernière conversation avec elle deux jours avant sa mort. Même si elle était très malheureuse depuis des mois, elle était calme et avait des projets pour la semaine. Rien ne laissait donc présager un passage à l'acte. Puis, le lendemain soir, je me suis sentie envahie d'une étrange tristesse inexplicable et j'ai pleuré longuement sans trop savoir pourquoi. Je lui ai téléphoné le lendemain et, dès que j'ai entendu la sonnerie du téléphone, j'ai aussitôt ressenti un terrible malaise. J'en ai fait part à André, qui a tenté de me rassurer dans mon inquiétude «irrationnelle». Le sur-lendemain, je savais que Sylvie était morte. Je suis partie travailler et j'ai demandé à André d'appeler la police, qui nous a confirmé son décès quelques heures plus tard.

Dans les deux cas, il s'agit de prémonitions. Ce sont des phé-nomènes incontrôlables, qui parfois nous permettent de remédier à une situation (comme ce fut le cas pour mon parrain), mais qui souvent nous laissent dans l'impuissance. Les prémonitions nous indiquent, par contre, que nous avons la faculté à capter des vibra-tions ou des messages de l'invisible. Il suffit d'apprendre à s'en servir. Un des bons moyens est de demander à l'Univers de nous guider dans nos démarches. En étant à l'écoute des signes, on trouve toujours des réponses à ses questions.

En quittant la faculté de droit, je me suis retrouvée dans un vide qui m'a forcée à remettre mon choix de carrière en question. Je ne m'étais jamais imaginée faire un autre métier que celui d'avocate. Plusieurs personnes de mon entourage me voyaient très bien comme psychologue, mais je refusais de me voir dans ce rôle qui m'habitait depuis ma «tendre» enfance. Au lieu de m'apitoyer sur mon sort, j'ai adopté une attitude plus ouverte et j'ai entrepris une investigation de tous les domaines de la relation d'aide au niveau universitaire. Puis, un jour, en feuilletant un dépliant de l'Université de Montréal, je suis tombée sur la section de la psychoéducation. Une forte intuition m'a indiqué que j'avais trouvé ma voie. Je connaissais très peu ce domaine, mais je savais que c'était le mien. J'ai écouté ma voix intérieure; elle m'a indiqué le bon chemin. Depuis ce jour, j'ai connu du succès partout où je suis passée, en commençant par mon dossier universitaire exceptionnel. J'ai toujours trouvé des emplois que j'aimais dans mon domaine et je m'y suis toujours sentie appréciée.

La direction que l'on se fixe au départ n'est pas toujours celle qui coïncide avec sa mission. On se retrouve souvent face à une route fermée qui mène à un détour. On a alors le choix de faire marche arrière, en étant frustré, ou de suivre la pancarte du détour avec la confiance qu'elle conduira vers quelque chose de mieux. Dans mon cas, je me suis laissée guider par ma voix intérieure en transformant mes croyances sur la carrière qui m'était destinée.

Cette expérience m'a donné confiance en mon intuition et en mon pouvoir de manifestation. Au lieu de me laisser dominer par l'angoisse, j'ai remis mes problèmes dans les mains de l'Univers et j'ai écouté ses messages. Le lâcher-prise inhérent à cette démarche nous permet de décrocher de notre mental. Nous devons entraîner notre mental à être le serviteur, et non le maître. J'ai vécu au cours de ma vie plusieurs expériences qui m'ont permis de vérifier que l'Univers m'offre ce qu'il y a de meilleur, pour autant que je lui fasse confiance. Plus je reconnais les signes et plus ils se manifestent.

Dans son livre *Être à l'écoute de son guide intérieur*[1], Lee Coit propose des méthodes et des étapes pour favoriser le contact avec notre guide intérieur, pour ainsi découvrir notre voie et notre vraie nature. Selon l'auteur, nous devons d'abord admettre que nous ne pouvons pas tout régler avec notre intellect, mais que nous pouvons surmonter nos difficultés en nous abandonnant à notre guide intérieur. Pour y avoir accès, nous devons faire le vide dans notre esprit, descendre en nous-mêmes et créer un état de calme jusqu'à ce qu'une sensation de paix et de puissance nous envahisse. Il s'agit ensuite d'adopter une attitude d'écoute, sans jugement, en ouvrant notre cœur. Plus nous faisons confiance au processus et plus il est facile d'être à l'écoute de notre guide.

Certains éprouvent de la difficulté à cerner le message de leur guide, car ils disent entendre plusieurs voix contradictoires. Parmi ces voix, nous retrouvons fréquemment celle de la peur qui nous met dans un état de tension et d'inquiétude, tandis que celle de notre guide provoque en nous un sentiment de calme, de paix et d'harmonie. Afin de favoriser l'écoute, il faut adopter une attitude d'ouverture en nous détachant de la réponse que nous souhaitons entendre.

Selon Lee Coit, la réponse peut mettre du temps à venir et nous pouvons rester plongés dans la confusion longtemps. Nous devons d'abord nommer le problème et bien formuler la question, puis être patients et laisser circuler nos idées jusqu'à ce qu'il y en ait une qui revienne à notre esprit, et qui nous procure une sensation de chaleur et de certitude.

La méditation

La méditation s'avère un bon moyen pour nous brancher sur notre intuition, puisqu'elle favorise le calme intérieur, condition essentielle à son écoute.

En 1990, alors que je terminais mon bac en psychoéducation, j'ai commencé à faire de la méditation transcendantale afin d'apprendre à calmer mes pensées. Cette forme de méditation exige la répétition (dans la tête) d'un mantra, qui est un son donné par un instructeur. Cette structure sonore contient une énergie mystique dont les vibrations affectent directement les chakras ou les centres d'énergie du corps, ce qui a pour effet de calmer le mental[2].

La méditation m'a appris à observer ce qui se passait en moi et à développer mes capacités intuitives. Dès que je commence à méditer, je suis envahie de pensées multiples qui tourbillonnent dans ma tête. Je prends alors conscience de mes préoccupations. Des souvenirs peuvent remonter à ma mémoire ou encore les rêves de la nuit, quand ce n'est pas l'horaire de ma journée qui se défile sous mes yeux. Quelques fois, une réponse ou une solution à un problème surgit spontanément dans mon esprit. Le but n'est pas de contrôler ces pensées, mais plutôt de les observer, sans s'identifier à elles, et de les laisser aller. Je suis ainsi plus en mesure de savoir ce qui occupe mon esprit et d'adopter l'attitude appropriée pour apporter à ma journée la paix et l'harmonie.

Avec beaucoup de pratique, on peut réussir à immobiliser le flux de ses pensées. C'est alors qu'on fait l'expérience de la conscience cosmique. Il m'arrive parfois, lorsque je suis en profonde méditation, de ne plus sentir mon corps et de perdre la notion du temps. Je ressens alors un apaisement profond, un calme infini, une joie indescriptible.

La méditation demande de la discipline et de la régularité. Pour en maximiser les effets, il faut respecter certains principes: une alimentation saine, ce qui permet au corps d'optimiser son énergie, une attitude positive face à la vie et une bonne respiration. Idéalement, la pièce où l'on médite ne doit servir qu'à cet effet et doit être exempte de toutes autres vibrations.

Il convient aussi de méditer avec régularité, c'est-à-dire chaque jour à la même heure, dans le même lieu et selon la même technique. Les moments les plus propices sont l'aube et le crépuscule quand l'énergie spirituelle est particulièrement forte. En méditation transcendantale, on conseille deux séances de méditation de 20 minutes chaque jour, avant le repas du matin et celui du soir.

La posture est également fondamentale, même si elle varie selon les écoles. On conseille la plupart du temps la position assise, les jambes pliées, de préférence croisées de manière que les genoux touchent le sol (si possible); le dos est bien droit, les coudes sont légèrement écartés du corps et les mains sont rapprochées. Certains mettent le dos de la main droite dans la paume de la main gauche. Quant à la respiration, elle doit être abdominale, lente, consciente et régulière.

La méditation est un puissant tonifiant qui aide à prévenir et à guérir les maladies. Elle nous permet d'élever nos vibrations et de purifier nos pensées. Pour moi, la méditation est avant tout un état d'esprit dans lequel j'entre en contact avec mon essence en interrompant temporairement le flot incessant de mes pensées. Je peux aussi méditer en marchant, en admirant un beau paysage.

NOTES

1. Lee Coit, *Être à l'écoute de son guide intérieur*, Saint-Hubert, Les éditions Un monde différent, 1992.
2. Swami Vishnu-Devananda, *Méditations et mantras*, Montréal et Val-Morin, Centres internationaux Sivannada de Yoga Vedanta, 1990.

Chapitre 10

Vivre le moment présent

Pendant longtemps, j'ai connu d'énormes difficultés à vivre le moment présent. Comme j'étais une personne contrôlante, j'anticipais constamment les événements, me créant ainsi l'illusion d'avoir le contrôle parfait. Je planifiais mes semaines, mes sorties, mes menus en laissant très peu de place pour la spontanéité. Je détestais les imprévus et les surprises. Je possède encore plusieurs de ces caractéristiques, mais j'apprends avec les années à faire davantage confiance à la vie, ce qui m'amène à lâcher prise et à savourer l'instant présent.

J'ai récemment découvert un livre qui m'a grandement inspirée et aidée dans mon cheminement. Le titre: *Le pouvoir du moment présent*[1]. L'auteur, Eckart Tolle, explique que notre mental peut devenir un véritable ennemi si on s'identifie trop à lui, c'est-à-dire si on se laisse entraîner dans le tourbillon de ses pensées, de ses peurs. On peut se libérer de l'emprise du mental en prêtant attention à son dialogue intérieur. Le but du mental est d'étouffer la souffrance émotionnelle en nous étourdissant dans une constante activité. La réalité nous confirme qu'en niant notre souffrance, nous lui donnons plus d'ampleur et que, tôt ou tard, elle resurgira.

En observant notre mental, nous pouvons filtrer nos pensées et garder celles qui nous élèvent, sinon les pensées négatives prennent de plus en plus d'ampleur et finissent par attirer des circonstances similaires. Le meilleur moyen d'écouter son discours intérieur est de favoriser le silence en soi. Il existe plusieurs moyens qui peuvent y contribuer, comme la méditation, la relaxation, le yoga, la marche en forêt. On peut aussi s'arrêter régulièrement et se mettre dans un état de calme en respirant profondément et en ralentissant le flot incessant de ses pensées.

Lorsque nous ne sommes pas suffisamment présents à nous-mêmes, nos pensées et nos émotions fluctuent en fonction des énergies environnantes. La meilleure façon d'en voir l'impact est de regarder comment nous nous sentons le matin à notre réveil. Par la suite, nous nous mettons à l'écoute de l'évolution de nos pensées et de nos émotions au cours de la journée, selon nos activités et les personnes que nous côtoyons. Cette prise de conscience nous permet de voir ce qui nous affecte et ce qui nous stimule et, par conséquent, d'ajuster nos actions en conséquence, afin de conserver une paix intérieure.

Certaines personnes, et j'en suis, sont particulièrement sensibles à l'énergie des autres, c'est-à-dire qu'elles ressentent leurs émotions et, si elles ne sont pas à l'écoute d'elles-mêmes, elles finissent par les absorber. Une autre grande souffrance consiste à rester accroché au passé et même de s'en faire une identité. Bien des gens accordent une très grande importance à leur souffrance passée, un peu comme s'il s'agissait d'un mérite, des médailles accordées à un héros de guerre. Plusieurs se valorisent par les épreuves qu'elles ont vécues et y font constamment référence.

Pour vivre le moment présent, il faut accepter ce qu'il nous offre sans y résister. Lorsque la vie nous apporte des événements joyeux, il est facile d'en savourer pleinement la saveur, on voudrait même arrêter le temps. Le défi consiste à vivre pleinement les moments plus douloureux, ces jours où on a l'impression que la vie s'acharne sur soi. On voudrait alors dormir et se réveiller un mois plus tard en voyant ses problèmes réglés comme par magie. Pourtant, lorsqu'on comprend le message que la vie tente de nous transmettre et que nous développons l'attitude appropriée pour y répondre, nous souffrons beaucoup moins et nous réussissons souvent à briser le modèle répétitif dans lequel nous nous étions enlisés.

Si on examine suffisamment sa vie, on se rend compte que chacun a des défis à relever, selon sa dynamique personnelle et son plan de vie. Certains se heurtent à des manipulateurs pour apprendre à mettre leurs limites, d'autres à des abuseurs pour s'affirmer davantage. Pour ma part, je me retrouvais très souvent face à des situations faisant appel au délai et à l'incertitude, qui me mettaient dans un état d'attente et de tension continuelle. Par exemple, pendant des années, j'ai vécu une incertitude à la fin de mon année scolaire lorsque j'ai été embauchée comme psycho-éducatrice sur une base contractuelle. Je ne savais pas si j'aurais encore mon emploi en septembre. J'étais toujours sous la menace qu'un employé permanent vienne prendre ma place. J'ai passé des mois dans un état d'attente continuelle, critiquant le système comme le font la plupart des gens dans la même situation.

Puis, il y a deux ans, ma situation est devenue critique à la suite de la fermeture de plusieurs postes à la commission scolaire. Étant la dernière arrivée, j'étais sûre de perdre ma place, et c'est effectivement ce qui s'est produit. Par bonheur, j'ai réussi à obtenir un poste à temps plein, mais qu'on a aussitôt scindé en deux, car une professionnelle permanente venait de subir une coupure de poste. Heureusement, cette candidate était en prêt de service pour le ministère de l'Éducation depuis plusieurs années... Les choses ont finalement pris une tournure avantageuse.

Au début du processus, alors que rien n'était réglé, j'ai ressenti une profonde injustice face à la possibilité de perdre l'emploi que j'avais moi-même créé. Puis, j'ai compris que cette épreuve me ramenait à ma difficulté à faire confiance à la vie et à ma peur de voir mon monde s'écrouler. J'ai finalement accepté le test que l'Univers me proposait et je l'ai vécu pleinement dans le moment présent. Je me suis seulement référée au passé pour me rappeler que j'avais déjà vécu une situation semblable dans un autre emploi quelques années plus tôt, alors que mon poste avait été coupé de quatre à deux jours par semaine. J'avais littéralement paniqué jusqu'au jour où l'on m'a proposé un contrat de trois jours par semaine à Saint-Jérôme, un emploi qui correspondait exactement à ce que j'avais visualisé. J'ai compris alors que l'Univers nous offre souvent quelque chose de beaucoup mieux que ce que nous prévoyons. Il suffit d'y croire et d'écouter notre intuition avant d'entreprendre une action.

Cette expérience m'a permis d'accroître considérablement ma confiance envers la vie. Je m'étais bien promis de ne plus la remettre en doute... Malheureusement, nous oublions trop rapidement les événements heureux, tandis que le souvenir des épreuves reste imprégné dans notre mémoire. Lorsque cette deuxième réduction d'heures de travail est survenue, j'ai pensé à ma première expérience, ce qui m'a aidée à lâcher prise et à vivre pleinement chaque minute, sans penser au lendemain. Au début, j'ai dû dompter mon mental, qui tentait de m'entraîner dans un tourbillon infernal de peurs et de doutes, puis la tempête s'est peu à peu dissipée pour laisser la place à la paix intérieure et à la sérénité. Je n'attendais plus, je vivais. J'avais l'impression qu'un nouvel univers s'ouvrait à moi et que d'infinies possibilités m'attendaient. Cet état de vide devenait agréable car je m'abandonnais totalement à la vie.

Finalement, un jour, mon patron m'a annoncé la bonne nouvelle. La partie de moi qui recherche la stabilité et la sécurité a été soulagée, mais la partie plus créative et aventurière a été déçue. J'avais commencé à rêver à autre chose... J'étais fière de la façon dont j'avais traversé cette expérience. Depuis ce temps, je vis encore des délais et des incertitudes, mais ils sont d'une moins grande importance et ils me font beaucoup moins souffrir. J'ai compris qu'il était inutile de résister à notre destin en lui faisant la guerre. Le défi est plutôt d'écouter ce qu'il a à nous dire et de faire confiance.

La meilleure façon de vivre le moment présent est de s'attarder davantage au processus qu'au résultat. C'est à travers le processus que nous expérimentons nos forces et le résultat devient la récompense, le trophée. Le meilleur exemple est la construction de notre maison, en 1998. Mon conjoint et moi avons partagé les tâches selon nos compétences. André s'occupait des matériaux écologiques et surveillait le chantier et, moi, je me chargeais de la décoration. Nous avons également peinturé nous-mêmes la maison et teint toutes les boiseries. Nous avons également nettoyé le chantier chaque soir pour épargner des sous. Nous avons passé nos soirées et nos fins de semaine à travailler dans notre nouvelle maison afin de pouvoir emménager à la date prévue. Nous avons savouré chaque minute malgré la fatigue et plusieurs moments de découragement. Notre secret: vivre un jour à la fois et en faire le plus possible. Nous étions conscients qu'un tel projet conduit souvent les couples vers des mésententes, voire des séparations. Nous avons beaucoup discuté, négocié avec l'objectif toujours présent de répondre aux besoins de chacun.

Notre plus grande fierté n'est pas notre superbe maison, mais la complicité qui s'est installée entre nous et la découverte de nos forces respectives que nous ignorions. On peut toujours perdre le matériel, rien n'est indestructible, mais les qualités qui naissent d'un projet sont éternelles. Dans ce sens, Eckhart Tolle nous propose dans un deuxième ouvrage, *Mettre en pratique le pouvoir du moment présent*[2], des exercices pratiques et des lectures méditatives ayant pour but de calmer les pensées afin de trouver un bien-être intérieur.

NOTES

1. Eckhart Tolle, *Le pouvoir du moment présent, guide d'éveil spirituel*, Montréal, Ariane, 2000.

2. Eckhart Tolle, *Mettre en pratique le pouvoir du moment présent*, Montréal, Ariane, 2002.

Chapitre 11

La visualisation créatrice

La visualisation est l'outil le plus précieux de mon évolution. Quand j'ai pris conscience du pouvoir de ma pensée, j'ai compris que je pouvais m'en servir pour améliorer ma vie. Puis, un jour, une psychothérapeute m'a remis une cassette de visualisation que j'ai souvent utilisée et qui a donné des résultats étonnants.

Quand j'étais étudiante en première année de psychoéducation, mon rêve était de faire mon stage en pédopsychiatrie à l'hôpital Sainte-Justine. À ma demande, on m'avait répondu que je devais attendre d'être en deuxième ou en troisième année pour cela, car l'hôpital n'offrait pas de stage aux étudiants de première année. Je n'avais aucun autre intérêt et ma motivation était très grande. Je marchais souvent près de l'hôpital et je m'imaginais y entrer; je me voyais dans le parc pour enfants dans le service de psychiatrie. Lorsque est venu le temps de faire ma demande de stage, j'ai tout de même inscrit «Hôpital Sainte-Justine» malgré l'information que j'avais reçue. Quelques semaines plus tard, alors que je consultais le babillard où était affiché l'endroit de stage des étudiants, je vis devant mon nom: «Hôpital Sainte-Justine». J'ai su par la suite que l'hôpital avait fait la demande d'une stagiaire de première année sans que l'université interfère, et j'étais la première candidate.

À cette époque, je n'avais pas conscience que je faisais de la visualisation et je pouvais difficilement expliquer le phénomène qui venait de se produire. Par la suite, à l'aide de lectures et de pratiques, j'ai raffiné l'art de concentrer ma pensée sur des objectifs concrets.

Shakti Gawain, dans son livre *Techniques de visualisation créatrice*, nous montre comment utiliser notre imagination pour créer notre vie idéale. La visualisation est l'aptitude qui consiste à créer dans son esprit une idée ou une image mentale. L'énergie de la pensée, qui est magnétique, tend à attirer l'énergie de même qualité et de même vibration. C'est le cas, par exemple, lorsque nous voyons quelqu'un à qui nous pensions ou que nous tombons sur un livre qui contient l'information que nous cherchions. Nous attirons ce à quoi nous pensons le plus. L'idée crée une image qui envoie un courant énergique dans une forme qui se manifeste sur le plan physique.

Shakti Gawain propose quatre étapes qu'elle considère comme fondamentales pour une visualisation créatrice et efficace.

1. **Se fixer un but**. Le but peut être un projet qu'on aimerait réaliser ou créer, un objet qu'on désire posséder, une relation qu'on veut améliorer ou des aspects de soi-même qu'on souhaite modifier. Il est préférable de commencer par se fixer des objectifs auxquels on peut croire facilement et pouvant être atteints dans un avenir proche.

2. **Créer une image ou une idée claire**. Il s'agit de voir, comme dans un film, le déroulement de son objectif par des images claires et précises, exactement comme on désire que cela se produise.

3. **Se concentrer souvent sur son but**. Il faut penser le plus souvent possible à son but, par exemple, s'accorder des moments de rêverie, ou lors de séances de méditation. On y pense comme s'il s'agissait d'un voyage qu'on prépare dans les moindres détails afin d'en assurer la réussite.

4. **Nourrir son but d'énergie positive**. Pour assurer le succès de la réalisation de son but, il convient de faire preuve

d'enthousiasme au cours des trois premières étapes. Il s'agit de ressentir en avance le bonheur que nous apportera cette réalisation. Une bonne façon de s'imprégner d'énergie positive est de prononcer des affirmations positives, ce qui a pour effet de raffermir ce qu'on imagine.

Les affirmations peuvent nous aider à déprogrammer notre discours intérieur négatif. On peut les faire à voix haute, les écrire, les chanter ou se les dire silencieusement. Ce qui importe, c'est de le faire avec beaucoup d'assurance.

Il faut toujours formuler les affirmations au présent, jamais au futur, car tout se crée d'abord sur le plan mental. On ne doit jamais utiliser le mode négatif, par exemple, «je veux perdre du poids» ou «je veux cesser de fumer». L'inconscient ne fait pas la différence entre le négatif et le positif, il va donc retenir le mot «fumer». Il faut donc remplacer l'affirmation par un mode positif, par exemple: «J'ai un corps mince et en santé.»

J'ai appris avec les années que l'objet de notre désir nous rend souvent insatisfaits, car nous nous centrons plus sur la forme que sur l'essence. Par exemple, nous pouvons souhaiter rencontrer l'homme de notre vie et le visualiser dans tous ses aspects: beau, intelligent, riche, sportif, généreux, etc. Et nous pouvons attirer une telle personne dans notre vie sans pour autant être heureuse en sa compagnie... L'essence vise plutôt à regarder ce que nous recherchons dans ce désir, par exemple: «Je souhaite rencontrer un homme duquel je me sens aimée, respectée et avec lequel j'aurai du plaisir, une bonne complicité, etc.» En allant vers l'intérieur, nous pouvons davantage combler nos véritables besoins que si nous nous attardons aux critères extérieurs.

À la fin de mon baccalauréat en psychoéducation, je désirais plus que tout au monde aller vivre dans les Laurentides, particulièrement à Saint-Donat où j'ai passé plusieurs étés étant jeune. J'avais la certitude que vivre dans cette belle nature me comblerait de bonheur. Je savais qu'il existait un centre d'accueil dans la région, j'y ai donc envoyé mon curriculum vitæ sans répondre à une offre d'emploi. Je me rappelle qu'au moment où j'ai déposé mon enveloppe dans la boîte aux lettres, je me suis concentrée sur mon but comme s'il s'agissait du rêve de ma vie.

Quelques semaines plus tard, j'ai reçu un appel du directeur qui me proposait un remplacement de neuf mois avec la possibilité d'une prolongation. Je commençais à l'époque un nouvel emploi dans deux écoles. Je suis allée à l'entrevue sans hésitation et j'étais prête à tout lâcher pour aller vivre à Saint-Donat. La première chose que le directeur, qui avait reçu des éloges à mon égard par un de mes professeurs d'université, m'a dite fut: «Qu'est-ce qu'une fille comme toi vient faire dans un centre comme ici?» Mon entrevue fut uniquement basée sur mes motivations à venir m'exiler dans un petit bled perdu. Le lendemain, la même personne me rappela et me proposa un poste permanent dans une autre unité. Pour moi, c'était un miracle. J'ai évidemment accepté et je me suis empressée d'appeler l'ancien propriétaire de notre chalet, qui m'a proposé une petite maison au bord du grand lac Archambault à un prix moins élevé que mon appartement. Le miracle se poursuivait et en l'espace de deux semaines, j'avais quitté la ville.

Mais mon rêve s'est rapidement transformé en un véritable cauchemar. Après deux semaines, j'avais senti mon enthousiasme s'éteindre comme un feu de paille. Je n'aimais pas mon emploi à cause d'un climat d'équipe difficile et de la clientèle très lourde. Je me rendais compte que la beauté de la nature et les couchers de soleil sur le majestueux lac ne suffisaient pas à me rendre heureuse... Puis, je me suis achetée la maison de mes rêves pour combler le manque que je vivais, mais le soulagement n'a été que temporaire. J'ai finalement laissé mon emploi au bord de l'épuisement professionnel, trois ans plus tard. Je me suis ensuite trouvé un emploi dans une école à Sainte-Adèle. Pendant deux ans, j'ai conduit quotidiennement près de 140 km, ce qui est la distance aller-retour entre ma maison de Saint-Donat et l'école. Puis, nous avons mis notre maison en vente et nous avons loué un logement à Sainte-Adèle. Il nous a fallu trois ans pour vendre la maison, en encaissant une perte de 15 000 $.

Cette expérience parfois pénible m'a fait comprendre que ma perception du bonheur, à l'époque, était faussée. Je m'étais centrée sur la forme au lieu de l'essence. Je croyais que des éléments extérieurs, comme la campagne et une maison, me rendraient heureuse. Je n'avais pas pensé à mes conditions de travail, à l'ambiance, à mes tâches. J'avais accepté l'emploi les yeux fermés sans même poser de questions. L'extérieur ne peut nous apporter de satisfaction si, à l'intérieur, nous sommes tourmentés ou frustrés. Il est alors difficile de ressentir la beauté de l'extérieur.

J'utilise maintenant, dans mes visualisations, des affirmations qui touchent à l'essence. Voici des exemples de critères constructifs concernant un nouvel emploi:

- Je travaille dans un environnement où je donne et je reçois beaucoup d'amour.

- J'ai une bonne complicité et beaucoup de plaisir avec mes collègues.

- Je me sens aimée et appréciée pour qui je suis.

- Mon bureau est beau et sain sur tous les plans; il est en parfaite harmonie avec mon corps et excellent pour ma santé.

- Je me sens utile et j'aide les gens à cheminer.

- Je fais un travail diversifié et stimulant.

- Je m'épanouis et je m'accomplis sur tous les plans.

- Je parcours moins de 40 km pour me rendre au travail.

- Mon salaire dépasse 50 000 $ pour quatre jours de travail par semaine.

- Par mon travail, je contribue au mieux-être de l'humanité en étant parfaitement heureuse.

Je ne parle pas de titre de poste, je ne nomme pas de lieux, je ne spécifie pas de tâches; je m'attarde seulement à ce que je veux ressentir à travers cet emploi. Le seul élément extérieur que je mentionne est le salaire, car je n'adhère pas à la croyance populaire selon laquelle il faille payer un prix pour être heureux. On peut très bien être nourri affectivement dans un emploi tout en gagnant un bon salaire.

Notre plus grande réalisation, à mon conjoint et à moi, reste sans contredit la construction de notre maison. Mon plus grand rêve après Saint-Donat était de vivre au bord d'un lac. L'eau représente pour moi un véritable baume pour l'âme. Née sous le signe des Poissons, j'ai des affinités particulières avec l'eau. J'ai d'ailleurs appris à nager toute seule, à l'âge de cinq ans. Un soir de juin 1968, au coucher du soleil, je marchais sur la plage avec un petit copain et, spontanément, je suis entrée dans l'eau tout habillée et je me suis mise à nager. À partir de ce moment-là, j'ai maîtrisé tous les styles de nage comme si j'avais suivi des cours. Adolescente, je nageais tous les jours jusqu'à un rocher, au milieu du lac Archambault. Ma mère insistait pour que je sois escortée par quelqu'un en chaloupe, par mesure de sécurité, mais quand je ne pouvais compter sur personne, je faisais à ma tête et j'y allais seule. J'aimais nager dans les profondeurs aquatiques, seule au milieu de cette belle et grande étendue d'eau. Je ressentais un sentiment d'éternité et de liberté. J'ai encore l'habitude de traverser mon petit lac tous les jours de l'été quand la température le permet.

Lorsque notre maison de Saint-Donat fut mise en vente, je me suis fixé l'objectif d'en dénicher une autre au bord d'un lac. André me trouvait irréaliste, la grandeur minimale pour qu'un terrain au bord de l'eau soit éligible à la construction était de 42 000 pieds carrés, et on n'en trouvait très peu en deçà de 1,50 $ le pied carré à moins de 15 minutes de l'autoroute des Laurentides (4 000 mètres à 16 $ le mètre carré.). Le rêve d'André était de construire une maison écologique sur un terrain avec accès au lac. Je pensais que la seule façon de réaliser mon rêve était de trouver un vieux chalet sur un plus petit terrain et de le rénover. Connaisseur dans le domaine, André savait que rénover s'avère parfois plus coûteux qu'une construction neuve, et ce, pour une qualité moindre en bout de ligne. Nous tenions à nos rêves respectifs en ne croyant pas pouvoir les combiner.

Comme il nous a fallu trois ans pour vendre notre maison de Saint-Donat, nous avons eu beaucoup de temps pour visiter des maisons et des terrains. Nous étions toujours déçus de ce que nous voyions. Je continuais à nourrir mon rêve, en imaginant ma maison au bord de l'eau. Je me voyais assise sur mon quai en admirant le coucher du soleil. Puis, un jour, j'ai vu dans le journal local l'annonce d'un terrain au bord d'un petit lac à Sainte-Adèle, à la limite de Sainte-Marguerite. Le prix du terrain était de 10 000 $. Comme nous n'avons pas pu joindre l'agent attitré, nous avons pris l'initiative d'y aller seuls. En descendant la petite route de terre qui menait au terrain, nous avons rencontré un couple qui nous indiqua un endroit superbe au bout du lac. La superficie du terrain était immense, 2,5 acres, soit 109 000 pieds carrés. Nous pouvions difficilement concevoir que le prix soit si minime. Nous sommes tombés amoureux de ce petit lac sauvage surplombé de montagnes. Les maisons étaient à peine perceptibles, on n'y voyait qu'une petite auberge à l'autre bout du lac. Le soir de la visite, nous avons reçu un signe: un castor qui faisait sa nage quotidienne s'est arrêté et nous a regardés longuement comme s'il nous souhaitait la bienvenue!

Le lendemain, nous avons joint l'agent, qui nous a appris que le beau terrain n'était pas celui qui était annoncé à 10 000 $. Ce dernier se trouvait à un endroit presque inaccessible et celui qui nous intéressait se vendait à 40 000 $. Petite différence! Même si André venait d'hériter de ses parents décédés, nous n'avions pas prévu mettre une telle somme sur un terrain, surtout que nous connaissions les coûts d'une construction. Nous avons tout de même fait une offre d'achat, étant incapables de laisser partir un tel joyau. Après une négociation longue et difficile, nous nous sommes entendus pour 32 000 $. Un an plus tard, nous avons vendu notre maison et construit la maison de nos rêves dans laquelle nous demeurons toujours avec autant de bonheur.

Cette expérience constitue l'exemple parfait d'un rêve longuement entretenu par deux personnes qui ont unifié leur imagination pour créer un projet commun. Je mentionnais précédemment que les biens matériels ne garantissent pas le bonheur. Par contre, je crois que chaque personne vibre pour un type d'environnement avec lequel elle est en résonance. L'essence de ma demande concernait le ressourcement que me procurent l'eau et la nature. Les priorités d'André touchaient davantage à la maison saine dans son ensemble: les matériaux, l'air, le chauffage, l'énergie solaire, etc. D'ailleurs, je constate que depuis que j'habite une maison écologique, je suis très rarement malade et je jouis d'une grande vitalité.

Je pourrais encore citer de nombreux exemples d'événements de ma vie créés par mes visualisations, mais j'insiste surtout sur l'importance de suivre notre voie, celle qui nous est destinée, afin de répondre à notre mission. Nous avons souvent tendance à résister à cet appel de notre âme en nous créant de faux désirs. Ce que nous attirons alors par notre pensée nous déçoit et nous devenons désabusés. Il n'est pas toujours facile d'écouter cette petite voix qui tente de nous montrer la bonne direction, car nos peurs prennent souvent le dessus. En nous centrant sur l'essence, nous pouvons davantage combler nos véritables désirs, surtout si nous demandons à l'Univers de nous guider vers ce qui est le mieux pour nous. Cette attitude de lâcher-prise nous apporte souvent des surprises qui dépassent notre imagination. La vie a parfois de meilleurs plans pour nous que nous-mêmes! Il faut accepter ce qu'elle a à nous offrir. Par exemple, il m'est déjà arrivé de souhaiter ardemment un emploi précis et de le visualiser, alors qu'on m'en offrait un autre qui s'avérait encore meilleur que le premier. La vie nous guide toujours vers les meilleures circonstances pour évoluer.

NOTE

1. Shakti Gawain, *Techniques de visualisation créatrice*, Suisse, Éditions Soleil, 1984.

Chapitre 12

Les bienfaits des arts et de l'humour

La musique

Comme je le mentionnais dans la première partie de ce livre, j'ai vécu une enfance agitée dans une atmosphère de tension et de discorde continuelle. Il m'arrivait souvent de souffrir d'insomnie. Mon petit cerveau était surexcité par les nombreuses vibrations qu'il épongeait au cours de la journée. Ma mère, une passionnée de musique classique, me faisait souvent écouter un des *Nocturnes* de Chopin le soir pour m'endormir. Je me rappelle à quel point je savourais ce moment où je me sentais transportée dans un monde de magie et de féerie. La mer agitée dans laquelle je naviguais quotidiennement se transformait alors en un lac paisible.

La musique classique a donc toujours fait partie de mon enfance. À cinq ans, je savais reconnaître Beethoven, Mozart, Chopin, Satie, Tchaïkovski, Rachmaninov. Cette musique embaumait cette belle maison que j'ai habitée si peu de temps et lui donnait une allure d'un château du XIXᵉ siècle.

Adolescente, j'ai délaissé la musique classique au profit du rock, comme tous les jeunes de mon époque, mais j'y suis revenue plus tard. Maintenant, j'écoute presque exclusivement du classique à la maison, tandis qu'en conduisant ma voiture, j'opte pour une musique plus populaire.

J'ai découvert, il y a quelques années, un ouvrage qui traitait de l'effet de la musique sur le cerveau. Il s'agit de l'œuvre de Don Campbell, *L'effet Mozart*. Ce dernier explique comment les ondes cérébrales peuvent être modifiées par la musique. Par exemple, certains types de musique favorisent la détente et le calme, tandis que d'autres vont activer la concentration et la créativité ou encore la mémoire et la capacité d'apprendre. On a d'ailleurs remarqué des modifications physiologiques. Par exemple, le rythme cardiaque s'harmonise avec la musique: il s'accélère ou ralentit pour suivre une mélodie. Une musique forte au tempo rapide élève la température du corps, tandis que la musique douce au rythme lent peut l'abaisser. Certaines musiques accélèrent la production d'endorphines, ce qui a pour effet de réduire la douleur et de provoquer un état naturel d'euphorie. «Les anesthésistes constatent que le niveau d'hormones de stress présentes dans le sang décroît de manière significative chez les personnes qui écoutent de la musique d'ambiance apaisante[1].»

Voici des exemples que l'auteur donne sur l'effet des différents types de musique:

• La musique baroque (Bach, Haendel, Vivaldi, etc.) crée un environnement mentalement stimulant pour l'étude ou le travail;

• La musique de Mozart et de Haydn améliore la concentration, la mémoire et la perception. Il y a d'ailleurs sur le marché un éventail de disques compacts intitulés *L'effet Mozart*. Certains se nomment *L'éveil de l'esprit* ou *Détente et création* et plusieurs autres s'adressent spécialement aux enfants. Les écoles auraient d'ailleurs avantage à utiliser de tels outils pour favoriser l'apprentissage chez les élèves;

• La musique romantique (Schubert, Schumann, Tchaïkovski, Chopin, Liszt) met l'accent sur l'expression des émotions; elle suscite la bienveillance, la compassion et l'amour;

- La musique impressionniste (Debussy, Ravel) favorise la créativité et le contact avec l'inconscient;

- Les chants grégoriens créent une sensation de détente. Cette musique, qui réduit le stress, convient bien à l'étude et à la méditation;

- La musique nouvel âge allonge la perception du temps et de l'espace en provoquant un état de vigilance détendue;

- Le jazz, le blues et les autres formes de musique d'origine africaine libèrent des sentiments de joie et de tristesse;

- La musique rock, même si elle a pour effet de libérer des tensions et de masquer la douleur, peut créer des tensions, de la discordance et même des douleurs physiques si on n'a pas l'humeur à écouter cette musique énergique.

Depuis la découverte de ce livre, la musique classique occupe une place prépondérante dans ma vie. J'ai apporté un lecteur de disques compacts à mon travail et, chaque jour, je choisis la pièce musicale qui correspond à mes humeurs et à mes activités. Les étudiants que je rencontre sont souvent dans un état de détresse et une douce mélodie apaise leurs souffrances en calmant leurs émotions.

Je m'endors souvent au son d'une musique nouvel âge que j'utilise également pour faire du yoga. Lorsque je dois conduire dans une tempête de neige, je syntonise Radio Classique (99,5) et je sens le calme s'installer en moi pendant que ma concentration s'accroît.

J'utilise même une cassette de «classique nouvel âge» aux sons de la mer et de la nature pour calmer mon chien dans ses moments d'angoisse ou d'agitation! J'ai récemment adopté une chienne husky qui avait passé six mois en cage à la Société protectrice des animaux (SPA) et qui souffrait de troubles de comportement. Étant profondément carencée affectivement, pendant des mois, elle a fait ses besoins sur le plancher de la salle à manger dès l'instant où elle se trouvait seule. Quand je partais travailler le matin, elle pouvait hurler pendant une heure. Elle n'avait aucune sécurité de base et craignait constamment d'être abandonnée. Un jour où nous devions la laisser seule à la maison pendant plusieurs heures, j'ai ressorti cette cassette que je faisais écouter à mon ancienne chienne, Zoé. Comme mon lecteur de cassette fonctionne de façon ininterrompue, elle pouvait l'écouter toute la journée. Je craignais qu'elle se vide l'intestin et la vessie sur mon plancher après avoir pris quelques bouchées d'un canapé tout en rongeant une patte de table à café. J'ai donc démarré la cassette ce matin-là en prenant soin de fermer toutes les portes intérieures de la maison et de faire disparaître les pantoufles et les souliers de sa vue en les remplaçant par son os en nylon indestructible. Je lui ai expliqué que je reviendrais et que je lui confiais la garde de la maison en spécifiant que je lui faisais confiance.

Je suis partie un peu craintive et, à plusieurs reprises au cours de la journée, je lui ai envoyé des pensées d'amour. J'anticipais un peu mon retour... À mon arrivée, alors que je m'apprêtais à me boucher le nez, je l'ai trouvée toute calme. La maison était dans le même état qu'avant mon départ et elle n'avait laissé aucune surprise sur le plancher. Maintenant, chaque fois que je la sens perturbée, je lui mets cette même cassette et, aussitôt, elle se calme et se couche.

Je conseille fortement la lecture de *L'effet Mozart* à tous ceux et à toutes celles qui font une grande place à la musique et qui désirent l'harmoniser à leurs différentes activités.

La lecture

J'ai eu la chance d'avoir une mère qui, pendant des années, m'a raconté une histoire avant de m'endormir. Mon histoire préférée était *La chèvre de Monsieur Séguin*, d'Alphonse Daudet. Je pleurais chaque fois quand la petite chèvre Blanquette se faisait manger par le loup.

La plus grande passion de ma mère était la lecture, en particulier la littérature française, l'histoire et la philosophie. Elle me disait toujours que les livres sont les meilleurs amis de l'homme. Je vois encore son regard profond plongé dans un bouquin. Elle pouvait lire pendant des heures au son d'une musique classique. Elle semblait alors transportée dans un autre monde.

J'ai hérité de cette passion. Étant dotée d'une imagination débordante, je voyais aisément le scénario de l'histoire se dérouler dans ma tête. Nous passions tous nos étés à la campagne et, comme nous n'avions pas de télévision, nous lisions et jouions à des jeux. Comme toutes les petites filles de bonne famille, j'ai dévoré la collection de la Comtesse de Ségur.

À partir de l'âge de 14 ans, je pouvais passer à travers dix romans dans un été. Je lisais surtout les classiques de la littérature française comme les œuvres de Flaubert, de Balzac, de Cesbron et de Gide. Lorsque j'ai entrepris mon cheminement personnel, j'ai délaissé les romans au profit des ouvrages psychologiques et spirituels. Mon baccalauréat en philosophie m'avait bien préparée à la réflexion, mais je me suis lassée de la sémantique et de la dialectique.

Le premier ouvrage qui m'ouvrit les portes vers les frontières de l'inconnu fut *La vie après la vie*, du Dr Raymond Moody, qui expliquait l'expérience des gens morts cliniquement, mais qu'on réussissait à réanimer. Ce livre a raffermi ma croyance en l'immortalité de l'âme. Il m'a aidée à traverser le deuil de ma mère. J'ai aussi lu les meilleurs auteurs, notamment Scott Peck, Dan Millman, K. O. Schmith, Deepak Chopra, Og Mandino, James Redfield, Anne et Daniel Meurois-Givaudan, Norman Vincent Peale, Guy Finley, Paulo Coelho, Emmett Fox, Patrick Drouot, le dalaï-lama et j'en passe!

Mais il y a une œuvre qui a vraiment changé ma vie. Lorsque j'ai volontairement laissé mon emploi au centre d'accueil de Saint-Donat, j'ai passé cinq mois sans travailler. Cette période où je fus essentiellement seule avec moi-même a grandement contribué à mon évolution. J'allais régulièrement à la bibliothèque municipale et, un jour, je suis tombée sur un livre intitulé *Choisir la joie*, de Sanaya Roman. Le titre m'a attirée par sa simplicité. L'auteure, une jeune américaine, est une médium qui canalise une entité de haut niveau nommée Orin, un être de lumière qui l'a inspirée également pour rédiger deux autres livres: *Choisir la conscience* et *Choisir l'éveil.*

Dans *Choisir la joie*[2], qui se veut le premier de la série, l'auteure, à travers Orin, amène le lecteur sur le chemin de la joie. Elle lui propose divers moyens pour cultiver la paix intérieure: transformer le négatif en positif, cultiver la gratitude, parvenir à l'équilibre, accueillir la nouveauté, affirmer son identité et s'ouvrir à l'amour, pour soi-même et les autres.

Choisir la conscience[3] nous aide à approfondir notre connaissance de nous-mêmes. L'auteure aborde la question de l'intuition sous différents angles: sentir et comprendre l'énergie, amener l'inconscience à la conscience, trouver sa vérité, aimer de façon inconditionnelle, cultiver la sagesse, contrôler son dialogue intérieur.

Pour sa part, *Choisir l'éveil*[4] est un livre hautement spirituel qui s'adresse aux gens qui désirent s'élever et atteindre leur plein potentiel. On apprend comment, par ses pensées et ses émotions, on peut améliorer sa réalité, pour ensuite devenir une source de lumière et d'inspiration pour les autres.

Chacun des ouvrages est écrit avec amour, simplicité et douceur. Ce que j'ai particulièrement aimé dans ces bouquins, c'est l'aspect positif et la grande compassion qui ressort dans chaque thème. Il n'y a aucune prédiction et on ne ressent aucun jugement, contrairement à certains maîtres spirituels qui suscitent la peur chez les lecteurs en prédisant des cataclysmes en vue d'ouvrir leur conscience. Orin, lui, met l'accent sur la beauté de l'être humain et la divinité en chacun de nous. Il affirme que chacun possède les outils nécessaires pour transformer sa vie et s'élever vers un monde meilleur dans l'amour et le respect.

Certains doutent que des guides spirituels puissent se manifester à travers des auteurs ou ils n'y croient tout simplement pas. L'important n'est pas d'y croire, mais de voir l'effet que de tels livres peuvent avoir sur notre ressenti. Pour ma part, ils sont devenus des livres de chevet que je consulte quotidiennement. Chaque jour, je prends un des trois ouvrages et j'ouvre une page au hasard en demandant le message de la journée. Je tombe toujours sur un message qui répond au besoin du moment.

Les livres à caractère spirituel m'aident à rester dans un courant élevé de vibrations, dans un monde où les luttes et la discorde sont omniprésentes. Ils me ramènent à l'essence des choses en m'accompagnant dans mon cheminement personnel. Ils me permettent d'avoir un recul face aux événements en élargissant ma vision. Ils constituent des outils précieux pour redéfinir ma mission dans mes périodes de remise en question.

L'écriture

L'écriture a toujours été mon médium d'expression par excellence. J'ai commencé très jeune à écrire. Dès l'âge de huit ans, j'écrivais des poèmes philosophiques et vers l'âge de 14 ans, j'ai entamé mon journal intime. J'y déposais mes moindres secrets, mes joies, mes peines, mes rêves. En 25 ans, je n'ai arrêté que pendant quelques années. Malheureusement, je n'ai pas conservé les journaux intimes de mon adolescence ; ceux que je possède encore remontent à 1991.

Au début, j'étais très disciplinée et j'écrivais chaque jour le contenu de mes journées et les émotions qui s'y rattachaient. Après un certain temps, je me suis lassée de cette rigidité et j'ai opté pour une écriture plus spontanée et thérapeutique. J'écris encore tous les matins les émotions que je vis et je fais état des objectifs que je vise pour ma journée sans pour autant relater mes moindres faits et gestes. Je demande aussi mon message de la journée dans un de mes livres spirituels. Lorsque je vis des émotions intenses, je les écris dans mon journal au moment où je les vis et ça me soulage beaucoup. Je libère ainsi la tension et je me sens plus légère et détachée.

L'écriture d'un journal intime permet de prendre un recul face aux événements sans poser de jugement. En écrivant spontanément, nous pouvons démêler nos idées et nos émotions, qui finissent souvent par se transformer sous notre plume. En évitant la censure que nous nous imposons souvent dans notre dialogue avec les autres, nous devenons plus vrais et nous tissons une relation d'amitié avec nous-mêmes[5].

Parmi les exercices d'écriture les plus puissants, on dénote l'écriture automatique qui consiste à se laisser guider par sa plume sans idée préconçue quant au contenu ou à la direction de sa pensée. On ne se soucie pas de la cohérence du texte ni de la formulation, encore moins de la syntaxe ou de l'orthographe. C'est une façon de transcender ses émotions et d'avoir accès à une connaissance intuitive. C'est étonnant de voir les barrières qui se soulèvent et les associations qui s'enchaînent pour nous révéler des aspects insoupçonnés de nous-mêmes! Le rythme de l'écriture accéléré empêche le mental de censurer notre discours intérieur, ce qui nous permet ainsi de nous aventurer vers des frontières inconnues.

L'humour

Dès mes débuts à l'école, j'adorais rire. Je paraissais très heureuse car j'avais toujours le sourire aux lèvres. Toutes mes petites amies partageaient ce plaisir avec moi. Mais comme je n'exprimais pas toujours ma gaieté au bon moment, j'étais parfois privée de sortie de classe! Malgré les aspects dramatiques que pouvait comporter ma vie à certaines époques, je ne perdais jamais mon sens de l'humour. Je savais rire des situations embarrassantes dans lesquelles je me mettais parfois. Je savais profiter pleinement de ce que la vie avait à m'offrir.

J'ai hérité de cette qualité de ma mère. Je n'ai jamais connu personne qui sache autant rire d'elle-même, même dans les pires situations. Nous nous amusions beaucoup, ma sœur Sylvie et moi, quand ma mère nous racontait ses histoires rocambolesques.

Si la capacité de rire est innée, le sens de l'humour, lui, peut se développer. Le rire comporte de nombreuses vertus thérapeutiques. De récentes recherches démontrent d'ailleurs que le rire stimule le système immunitaire. Il contribue aussi à éliminer les corticostéroïdes sécrétés par les surrénales en période de stress. Le cerveau sécrète des hormones, l'adrénaline et la sérotonine, entre

autres, qui ont pour effet d'augmenter la vigilance, l'acuité senso-
rielle et intellectuelle, donc la créativité et la mémoire[6]. Le rire
augmente l'amplitude de la respiration et les mouvements du dia-
phragme, ce qui favorise l'oxygénation de l'organisme. De plus, il
accélère le rythme cardiaque tout en abaissant la pression artérielle
et le taux de gras sanguin[7]. Il s'avère être un des meilleurs remèdes
contre l'angoisse, la peur, le stress, la dépression et la douleur.

Pour moi, l'humour c'est la capacité de dédramatiser une
situation et de rire de soi. Les grands sages regorgent souvent
d'humour; on les reconnaît facilement pour leur grande humilité
et simplicité. Être capable de rire de soi implique que l'on s'accepte et que l'on s'aime comme on est.

Je me rends compte qu'avec les années, je ne ris plus autant
qu'avant. Je prends parfois les choses encore trop au sérieux et au
travail, mon entourage n'est pas composé de gens particulièrement drôles. Une attitude de lâcher-prise nous amène souvent un
sentiment d'insouciance, de légèreté et de joie. En dégageant ces
vibrations, nous attirons à nous des gens joyeux.

NOTES

1. Don Campbell, *L'effet Mozart*, Montréal, Le Jour éditeur, 1998.

2. Sanaya Roman, *Choisir la joie*, Sarzeau, Ronan Denniel, 1986.

3. Sanaya Roman, *Choisir la conscience*, Sarzeau, Ronan Denniel, 1986.

4. Sanaya Roman, *Choisir l'éveil*, Sarzeau, Ronan Denniel, 1989.

5. Simone Piuze, «Écrire l'histoire de sa vie», *Guide ressources*, juillet-août 1999.

6. Stéphanie Adam Le Roch, «L'éclat du rire», *Guide ressources*, juillet-août 1996, p. 23-28.

7. Jacqueline Germain, «Le rire, c'est sérieux!», *Vivre*, vol. 2, n⁰ 1, 2002, p. 27.

Chapitre 13

La nature et les animaux (mes chiens)

La nature

La nature constitue pour moi un véritable baume pour l'âme. Je crois même qu'elle m'a permis de conserver mon équilibre mental. Les meilleurs moments de mon enfance se sont déroulés à la campagne où ma famille passait tous ses étés. Je me souviens de l'excitation que je ressentais à la fin de juin quand nous nous mettions en route pour nous rendre au lac Nominingue, à 2 h 30 au nord de Montréal. À mesure que nous quittions la civilisation pour entrer dans la nature sauvage, je me sentais revenir à mon essence. J'avais l'impression de laisser derrière moi toute préoccupation. Je vivais pleinement le moment présent.

Je sentais ma mère beaucoup plus calme et sereine, d'autant plus que mon père travaillait tout l'été à Montréal. Comme mes sœurs se joignaient à un groupe d'amis, je passais beaucoup de temps seule avec elle. Nous partions souvent au lever du soleil faire un tour de chaloupe sur le lac. Nous nous émerveillions devant le reflet des montagnes sur cette immense étendue bleue. Nous avions l'impression d'être seules au monde au milieu d'un grand miroir. Je m'enivrais de la fraîcheur du matin. Après le repas du soir, nous partions marcher pendant une heure ou deux pour revenir après le coucher du soleil.

Je m'étais promise, adolescente, qu'un jour, je quitterais la ville pour m'installer définitivement à la campagne, sachant qu'il s'agissait d'un élément essentiel à mon bonheur. L'environnement dans lequel j'ai construit ma maison est habité par tous les éléments de la nature: un lac relativement sauvage, entouré de montagnes dont on parcourt les sentiers tous les jours. On trouve sur mon terrain une grande diversité d'arbres: des pins centenaires, des sapins, des cèdres, des bouleaux, des érables, des mélèzes. Depuis que je vis dans ce paradis, je ressens moins l'envie de voyager à l'étranger, surtout quand je m'assois sur mon quai l'été avec mon chien qui observe les canards faisant leur sortie en famille.

Rien au monde ne me fait autant vibrer que le nature. Quand je contemple le paysage, je ressens une profonde gratitude de vivre au milieu de toute cette beauté. Une simple promenade en forêt ou une traversée de lac a toujours pour effet d'élever mon moral. La nature est mon antidépresseur dont le principal effet secondaire est l'oxygénation de mon sang et de mes poumons!

Avec les années, je vais de moins en moins à Montréal; je ne m'y rends en fait que pour y suivre des formations ou pour des sorties. Chaque fois, ça me demande un effort suprême, mais je ressens tout un soulagement quand je suis sur le chemin du retour! Pour rien au monde je ne retournerais vivre en ville. Le choix d'habiter la campagne constitue sans aucun doute la meilleure décision que j'ai prise dans ma vie.

Mes chiens

Comme je n'ai pas d'enfants, les animaux occupent une place importante dans ma vie et dans celle de mon conjoint. Les chiens que nous avons adoptés m'ont permis d'exploiter mon côté maternel tout en visant l'équilibre entre l'amour inconditionnel et le détachement.

Cet amour des chiens remonte à ma tendre enfance avec Copine, ma meilleure amie d'enfance, un berger allemand croisé avec un husky. J'ai eu Copine alors que j'avais à peine trois ans. Elle m'accompagnait dans tous mes jeux. Elle était douce et protectrice. Je pouvais tout faire avec elle, même l'habiller, lui tirer la queue et les oreilles sans qu'elle bronche. Nous avons dû nous en départir quand mes parents ont divorcé alors qu'elle avait 10 ans. Un jour, en revenant de l'école, Copine ne s'est pas précipitée sur moi en ballottant sa queue allègrement. Elle n'était tout simplement plus là. Mon père l'avait emmenée se faire euthanasier sans nous en parler. Je n'ai pas pu lui dire au revoir. C'est un des aspects du divorce de mes parents qui m'a fait le plus souffrir.

J'ai dû attendre jusqu'à l'âge de 27 ans pour ravoir un chien. Une amie m'a donné un chiot, encore un berger allemand mélangé avec un husky, Chinouk, une belle femelle très entêtée et agressive avec les autres chiens. Je n'ai pas ressenti le même attachement qu'avec Copine, malgré la ressemblance. Même si elle était très affectueuse, son esprit indépendant et dominant nous a causé plus de tourments que de plaisir. Elle attaquait régulièrement les chiens des voisins, ce qui occasionnait des factures de vétérinaires plutôt salées. La vie de Chinouk fut de courte durée car nous avons dû la faire endormir après qu'elle eut tué un chien.

Je n'étais pas pressée de ravoir un chien, ayant été échaudée par cette malheureuse expérience. De toute façon, nous avons vécu deux ans en logement à Sainte-Adèle avant de vendre notre maison de Saint-Donat. Aussitôt notre deuxième maison construite, André a insisté pour adopter un chien. J'étais très réticente à l'idée de m'engager envers un animal, la maison venant à peine d'être construite. Je m'en suis alors remise à l'Univers. J'ai téléphoné à la Société protectrice des animaux (SPA) pour leur soumettre une demande. À peine un mois plus tard, on nous téléphona pour nous dire qu'on venait tout juste de recevoir une femelle d'un an, un berger allemand.

Nous nous sommes rendus à la SPA pour faire connaissance avec la nouvelle venue. Je fus déçue, à première vue, de constater qu'il ne s'agissait pas d'un berger allemand pure race. Elle était plus grosse et avait le poil long. Sa tête était noire et on remarquait ses grands yeux noisette perçants. Le reste de son corps était sable et noir. On nous a dit par la suite qu'elle était sûrement mélangée avec du berger belge, d'où son tempérament plus doux et plus sociable. En la faisant marcher, nous étions surpris de voir à quel point elle était distante et apathique, comme si elle n'espérait plus rien de la vie. Elle avait été abandonnée deux fois en un mois. Nous avons demandé quelques jours pour réfléchir. J'hésitais jusqu'au soir où, couchée dans mon lit, j'ai senti son âme me parler, un peu comme un appel, comme une lumière qui m'enveloppait. J'ai tout de suite compris que Zoé devait faire partie de notre vie. Nous sommes allés la chercher le lendemain et, à peine quelques semaines plus tard, sa personnalité avait complètement changé. Sa léthargie et sa froideur s'étaient transformées en un enthousiasme débordant et en une sociabilité peu commune. Chaque personne qui venait nous visiter avait droit à un accueil chaleureux. Elle en était même gênante quand elle sautait sur les gens pour les enduire de salive.

Autant Zoé aimait les gens, autant elle aimait la liberté. Étant très curieuse, son esprit d'aventure n'avait pas de limites. Aussitôt qu'elle en avait l'occasion, elle suivait une trace et pouvait revenir une heure plus tard. Ses escapades furent coûteuses pour nous et souffrantes pour elle, puisqu'elle attaqua un porc-épic à deux reprises. La facture des deux visites chez le vétérinaire s'éleva à plus de 600 $, ce qui la condamna à faire le reste de ses promenades en laisse.

Puis, un jour, à la fin de mars, je suis allée en ski de fond avec elle dans la montagne. De retour, je l'ai laissée seule à la maison car j'allais visiter une amie. Je lui ai dit «Bonjour, à plus tard» en lui glissant quelques mots d'amour comme j'avais l'habitude de le faire. Je ne savais pas que c'était la dernière fois que je voyais ma chienne adorée, âgée d'à peine cinq ans.

Le drame s'est produit à la fin de la journée alors qu'André donnait un séminaire sur les maisons saines dans une auberge voisine. La fin de son cours se termine toujours par une visite de notre résidence. C'était la première fois que je n'étais pas présente pour m'occuper de Zoé. Je suis rentrée vers 17 h 30 et j'ai vu de loin la police qui dirigeait la circulation avant l'entrée de mon chemin. J'ai ressenti une profonde angoisse en voyant les gens rassemblés autour de cette forme enveloppée d'une couverture grise. J'ai eu peur qu'il s'agisse d'André ou encore d'un participant au cours qui aurait eu un malaise. Le policier m'a dit que c'était seulement un chien, mais il ne savait pas que c'était *mon* chien. En voyant ma petite Zoé étendue sur la route, les yeux entrouverts, le regard fixe, le corps rigide, j'ai eu un choc. Je ne savais plus où donner de la tête devant tous ces gens qui me donnaient des conseils. André et moi nous sommes rendus à l'hôpital vétérinaire de Saint-Jérôme; à notre arrivée, Zoé était déjà morte. J'ai ressenti une vive douleur en la voyant couchée les pattes croisées, sans aucune trace de sang.

André et moi avons pleuré toutes les larmes de notre corps et nous sommes restés un moment avec elle pour lui faire nos adieux. Pour la première fois, j'avais l'impression de vivre véritablement un deuil. La semaine suivante, nous avons ressenti un grand vide. La vie semblait terne, sans aucune vitalité. Zoé nous apportait tellement de joie et de sérénité, surtout quand elle nous fixait avec son regard profond et intense, comme pour nous livrer son âme! Je n'arrivais pas à comprendre pourquoi elle était partie si vite. La colère a ensuite surgi lorsque nous avons appris dans quelles circonstances Zoé avait été heurtée par une voiture. Des participants au cours, qui se rendaient à l'auberge pour prendre leur voiture, avaient laissé sortir notre chienne. Elle les avait suivis jusqu'à la grande route... s'y aventurant pour la dernière fois.

J'ai compris par la suite qu'elle avait laissé sa place à Nikita, une petite husky d'un an dont la photo paraissait dans le journal local depuis des mois à la chronique de la SPA. J'adore les huskys, mais connaissant leur réputation de fugueurs, je m'étais résignée à ne jamais en adopter. Encore une fois, j'ai ressenti un appel qui m'a conduite tout droit vers la SPA.

Elle était tout à fait adorable, avec sa belle et épaisse fourrure blanc et gris, son petit museau retroussé et ses grands yeux bruns foncés. Elle ressemblait étonnamment à un loup. Sa vitalité et sa personnalité enjouée ont immédiatement séduit André. Nous l'avons tout de suite emmenée avec nous, même si je ne me sentais pas nécessairement prête. L'adaptation fut beaucoup plus difficile qu'avec Zoé puisqu'elle avait développé des problèmes de comportement attribuables au fait qu'elle avait passé cinq mois en cage. Avec beaucoup d'amour, de patience et de tolérance, nous avons réussi à établir une relation de confiance avec elle et à calmer sa nervosité. Nikita est aujourd'hui le soleil de notre vie. Nous espérons la garder longtemps, celle-là !

J'ai beaucoup appris de mon expérience avec mes chiens. Je sais communiquer avec eux et j'ai compris que les mots ont bien peu d'importance, que tout se trouve dans l'intention. Les chiens ressentent nos émotions et savent mieux que quiconque nous témoigner de la sympathie. On remarque tout de suite leurs oreilles baisser quand on élève la voix ou leur regard préoccupé devant notre anxiété ou notre tristesse. Quel chien ne vient pas se coller sur sa maîtresse quand elle pleure ?

Mes expériences avec chacun de mes chiens m'ont beaucoup fait cheminer en ce qui a trait au lâcher-prise. J'ai compris que malgré tout l'amour et l'encadrement qu'on peut leur donner, ces animaux, même domestiqués, demeurent des êtres libres qui n'oublient pas leur nature sauvage et qui, parfois, décident d'y retourner. J'ai le plus grand respect pour le monde animal, pour sa transparence et sa pureté.

L'attachement que nous ressentons envers les animaux vient du fait qu'ils nous aiment inconditionnellement et qu'ils n'éprouvent aucune rancune. Peu de gens dans notre entourage savent nous accueillir comme notre fidèle chien dès que nous entrons à la maison. Les chiens et les chats sont dotés d'un sixième sens ; certains peuvent reconnaître le bruit de la voiture de leur maître à des kilomètres du domicile et ainsi commencer à s'exciter plusieurs minutes avant son arrivée.

Chapitre 14

La solitude

La solitude a toujours fait partie de ma vie. Comme il y a une grande différence d'âge entre mes trois sœurs et moi, je n'ai jamais réellement joué avec elles dans ma jeunesse. Je n'avais pas non plus le droit d'inviter des amis à la maison, alors je me créais des amis et des jeux imaginaires. J'aimais aussi dessiner et écrire des poèmes. Ma créativité et mon imagination m'aidaient à combler ma solitude.

À l'adolescence, ma vie sociale est devenue très active. J'avais beaucoup d'amis et j'étais très populaire auprès des garçons. Mes amis occupaient une place prépondérante dans ma vie: c'est ainsi que je réussissais à m'évader de ma vie familiale, souvent pénible. Je sortais toutes les fins de semaine et je passais mes soirées entières au téléphone. J'avais donc très peu de moments de solitude, sauf l'été à mon chalet où la nature devenait mon refuge pour faire le point.

Avec les années, je suis devenue sélective en ce qui concerne mes amis, ce qui m'a fait apprécier davantage la solitude. Aujourd'hui, je peux dire que je suis une solitaire. J'apprécie beaucoup les tête-à-tête avec moi-même où je peux avoir accès à mon essence et à mes intuitions. La solitude me permet de prendre du recul face aux événements et à mes émotions, de calmer mon mental et de faire naître de nouvelles inspirations. Dans ces moments où je suis seule, je ne joue aucun rôle et je me nettoie des énergies que j'ai pu absorber au cours de la journée.

La solitude est aussi un état d'esprit qui s'apprivoise et qui prend une couleur selon la perception qu'on en a. Par exemple, on peut se sentir seule au milieu d'une foule si l'on ne ressent pas de sentiment d'appartenance et si son besoin d'approbation n'est pas comblé. On se sent alors différent et jugé et on se remet en question.

Je ressens parfois cette solitude dans mon entourage en raison de mes idées et de mon mode de vie marginaux. Ma façon de m'adapter a consisté pendant longtemps à adopter mon rôle de thérapeute en m'intéressant aux gens et en m'oubliant. Je préférais m'abstenir de parler de moi plutôt que de constater leur désintérêt. Je prenais alors conscience de la perte de temps et d'énergie que je vivais en compagnie de certaines personnes.

En évoluant, on apprend à se connaître et à accepter son unicité, ce qui a pour effet qu'on peut tolérer sa différence. On cesse de se juger et de juger autrui et on apprend à respecter le niveau d'évolution de chacun. On ne cherche plus à plaire aux autres en adhérant à leurs croyances ou en s'adaptant à leur style de vie. On choisit son entourage et on sélectionne davantage ses activités en fonction de ses intérêts et de ses convictions. Nous sommes alors en mesure de savoir ce qui nous convient et nous remplaçons la notion d'obligation par le choix éclairé.

Plus jeune, je comptais beaucoup sur le soutien de mes amis pendant des moments douloureux, particulièrement après le décès de ma mère. J'avais besoin de réconfort et d'évasion. Devant la souffrance provoquée par une épreuve, j'avais tendance à vouloir m'étourdir et je m'empressais de passer à autre chose. Maintenant, je ne compte plus sur l'extérieur pour m'éloigner du malaise. Au contraire, pendant les périodes difficiles, j'ai plutôt tendance à m'isoler afin de me brancher à mes émotions et de faire le point avec moi-même. En faisant abstraction des vibrations extérieures, je réussis à accéder à ma source profonde.

Les moments de solitude sont devenus pour moi une nécessité, surtout en période de transition, par exemple entre deux emplois, ou pendant la rédaction d'un livre. Je suis privilégiée d'habiter un endroit isolé et d'une grande beauté, ce qui favorise grandement mon processus créateur. Ces instants de réflexion me permettent d'examiner mes priorités et mes valeurs, et de redéfinir la direction que je veux donner à ma vie.

QUATRIÈME PARTIE

Ma philosophie de vie: mes valeurs et mes croyances

Chapitre 15

La famille

Comme je le mentionnais dans la première partie du livre, je viens d'une famille dysfonctionnelle. Dans ma jeunesse, je ne me souviens pas d'un souper de famille harmonieux où nous étions tous réunis dans le calme et la joie. Je me rappelle surtout les cris, les pleurs et les menaces. Le divorce de mes parents était selon moi la seule issue possible, et j'en étais réjouie.

À partir de cette époque, la famille s'est divisée en deux: d'un côté, ma mère, Sylvie et moi; de l'autre côté, mon père et mes deux autres sœurs. Les affinités naturelles se sont regroupées. J'ai connu avec ma mère et Sylvie d'excellents moments teintés d'humour. Nous avions des discussions animées et passionnées sur divers sujets. Nous vivions de merveilleux moments l'été à notre chalet.

J'avais peu de contact avec mes deux autres sœurs, avec qui j'aurais bien aimé partager mes secrets d'adolescence. Je les voyais à quelques occasions seulement, chez mon père et ma belle-mère. Je ne me sentais pas à l'aise dans cette atmosphère tendue où régnaient une hypocrisie malsaine, un manque de spontanéité et d'authenticité.

À la mort de ma mère, le contact avec ces deux sœurs est devenu plus fréquent puisque j'ai vécu avec l'une d'elles pendant quatre mois. J'apprécie qu'elle m'ait hébergée, mais le rapport a été difficile. C'est alors que j'ai emménagé avec mon père, que j'ai appris à l'aimer et à le comprendre.

J'ai longtemps ressenti une grande frustration dans mon rôle de petite dernière. J'en voulais à mes sœurs de ne pas m'accorder plus d'attention et, surtout, de reconnaissance. D'un autre côté, j'entretenais avec Sylvie une relation fusionnelle où je tirais ma valorisation dans l'aide et le soutien que je lui apportais. Elle me le rendait bien en se montrant toujours disponible pour m'écouter et m'accueillir chez elle.

Il y a maintenant huit ans que Sylvie est morte et nous n'avons plus de parents. Ma famille se compose de mes deux autres sœurs et de moi, et nous n'avons pas de contact avec la famille élargie.

J'ai appris avec le temps à ne plus avoir d'attentes et à accepter mes sœurs avec leurs forces et leurs limites. Nous avons toutes subi des séquelles à la suite de nos drames familiaux. Nous avons vécu longtemps dans une lutte de pouvoir pour savoir laquelle d'entre nous avait le plus souffert. Nos blessures respectives nous ont amenées à adopter une vision de la vie qui diffère pour chacune d'entre nous. Nous avons cheminé avec les outils que nous avions en notre possession. Nous sommes toutes dotées d'un caractère très fort avec des convictions bien ancrées; c'est d'ailleurs ce qui nous a permis de bien réussir notre vie. Par contre, notre entêtement et notre détermination sont à l'origine de conflits qui dégénèrent parfois en rupture temporaire. Je peux passer des mois sans parler à l'une ou à l'autre de mes sœurs.

La période de Noël est particulièrement difficile pour nous toutes, surtout que notre mère est décédée le 17 décembre. Et puis, la magie des Noël de notre enfance était vite rompue par des cris et des pleurs. Il s'agit donc d'un moment où nous sommes particulièrement vulnérables. Nous avons célébré Noël ensemble pendant plusieurs années avec nos conjoints, mon neveu et ma nièce. Malgré tout l'effort que je mettais pour avoir une vision positive de ce moment, je ressentais une tension. Je sentais que chacune d'entre nous marchait sur des œufs en se censurant sur certains sujets de conversation et adoptait une attitude polie et «civilisée» qui enlevait toute spontanéité. Étant d'une nature très authentique, je supportais difficilement cette lourdeur malsaine.

En 2001, nous avions prévu passer la veille de Noël chez une de mes sœurs. Plus la date approchait et moins j'avais envie de me tremper encore dans cette atmosphère pénible. Je sentais que mon corps anticipait cette soirée et qu'il tentait par tous les moyens de me le dire à travers une grippe et des malaises digestifs. J'ai alors choisi de me donner la priorité, en annulant ma présence à ce rendez-vous, et d'écouter mon cœur tout en sachant que je risquais de briser celui de ma sœur qui nous recevait. Cette dernière a été extrêmement blessée par ma décision et a mis un an avant de me reparler.

Il y a parfois des décisions difficiles à prendre qui impliquent un choix entre nos besoins et ceux des autres. Or, si on donne toujours la priorité aux besoins des autres, on finit par se rendre malade! Il y a des gens pour qui la famille est sacrée et qui n'oseraient en aucun cas en briser la structure ou renoncer aux traditions. Je considère que les relations avec les membres de notre famille contribuent à notre évolution sans que nous soyons obligés de souffrir. Il existe des incompatibilités au sein des membres d'une même famille qui rendent les contacts très difficiles. Je crois qu'il est préférable parfois de laisser une distance tout en conservant des pensées d'amour et de sollicitude. Un contact trop fréquent peut nuire à la venue de pensées positives.

La belle-famille peut aussi constituer une source de grandes frustrations et une cause de conflits pour le couple. Il existe souvent des incompatibilités entre une personne et sa belle-famille. Pour ma part, j'ai essayé de m'adapter à ma belle-famille, mais j'en suis arrivée à la conclusion que je ne me sentais pas bien lors des gros soupers où ils étaient tous réunis. Je vivais un malaise omniprésent, sans doute à cause d'une divergence sur le plan des valeurs. J'ai donc renoncé à participer à tous les soupers chez ma belle-famille; André se montre très compréhensif.

Il y a des couples pour qui une telle attitude est inacceptable et qui considèrent qu'ils devraient être accompagnés de leur conjoint dans toutes les occasions sociales. Pour ma part, je crois que de s'imposer une telle obligation entraîne un risque de conflit. Selon moi, il est préférable de s'abstenir si c'est ce que l'on veut vraiment, laissant ainsi l'autre libre de fréquenter sa famille sans qu'il ait à subir notre humeur et nos critiques. Je peux maintenant fréquenter certains de ses frères et sœurs individuellement avec leurs conjoint et conjointe respectifs et vivre de bons moments, car en nombre restreint, l'énergie n'est pas la même.

Chapitre 16

L'amour

Dans ma jeunesse, ma philosophie de l'amour était plutôt pessimiste. Je ne croyais pas au prince charmant et je n'avais aucune intention de me marier, encore moins d'avoir des enfants. Pour moi, le mariage constituait une contradiction en soi. Comment pouvons-nous promettre à une personne de passer le reste de notre vie avec elle «pour le meilleur et pour le pire» et ensuite signer un contrat utile dans le cas d'une éventuelle séparation? Pour moi, l'amour est quelque chose d'inné et de naturel; la nécessité de le faire valider par une cérémonie et un contrat servent à apaiser l'insécurité affective et financière de la plupart des gens qui y recourent.

Il faut dire que je n'avais pas eu un modèle tellement inspirant sur ce plan! J'avais appris très jeune à ne compter que sur moi. Par contre, dès l'âge de 14 ans, je me suis mise à fréquenter les garçons. J'avais l'impression d'avoir plus d'affinités avec le sexe opposé, étant donné mon caractère déterminé et combatif. J'étais une fille active et je préférais faire du sport plutôt que de folâtrer toute la journée dans un centre commercial. J'avais donc de la facilité à entrer en relation avec les garçons et j'établissais rapidement avec eux une bonne complicité.

Toutes mes relations amoureuses comportaient une grande part d'amitié, mais j'évitais les engagements trop sérieux. Mon rêve était de vivre une relation stable avec un homme, tout en conservant ma totale indépendance. Je nous voyais vivre chacun de notre côté, partageant nos fins de semaine chez l'un ou chez l'autre ou encore louant un chalet d'été pour nous retrouver pendant nos vacances.

À cette époque, je croyais que le fait de partager son quotidien avec quelqu'un finissait par tuer l'amour, surtout la passion. Je préférais maintenir le mystère et toujours rester sur ma faim plutôt que de faire une indigestion des comportements de l'autre. Je trouvais qu'il était important de conserver son univers et de garder ses secrets. Je n'avais jamais rencontré de couples inspirants; je ne voyais que des luttes de pouvoir, des inégalités et de l'ennui. Je côtoyais des gens qui s'enlisaient dans une monotonie où l'habitude devenait leur seul point d'ancrage.

J'ai eu quelques peines d'amour qui n'ont pas été trop souffrantes car je savais me protéger, ayant connu très jeune des ruptures.

Pourtant, je vis avec mon conjoint depuis 1985. Nous avons déménagé cinq fois et nous en sommes à notre deuxième maison et à notre troisième chien. Nous partageons tout et nous avons toujours été les meilleurs amis du monde. Jamais nous avons pensé à nous séparer, malgré les périodes difficiles. Je suis convaincue que je vais passer le reste de ma vie avec lui. Comment expliquer ce changement d'attitude?

En fait, mes valeurs n'ont pas changé du tout. Au moment où j'ai commencé à fréquenter André, j'avais 21 ans. Je venais tout juste de terminer une relation qui avait duré deux ans et je connaissais André depuis quatre ans. Nous partagions nos moindres secrets et nos affinités naturelles faisaient en sorte que nous passions beaucoup de temps ensemble à rire et à philosopher. Notre grande complicité s'est étendue vers une attirance mutuelle que nous avons niée pendant plusieurs mois avant de nous rendre à l'évidence. André vivait une période de profonde désillusion causée par une peine d'amour qu'il traînait depuis quelques années. Il avait comme projet de partir un an travailler en Alberta pour faire du ski et se découvrir.

C'est d'abord cette inaccessibilité qui m'a attirée vers lui. Son indépendance m'a aidée à ouvrir mon cœur et m'a fait prendre conscience que je tenais à lui. Nous avons couru le risque de briser notre amitié en nous engageant dans une aventure amoureuse. Étant chacun sur nos gardes, nous avons cheminé au jour le jour sans faire de plans, au contraire de la plupart des couples. Je n'ai jamais demandé à André de renoncer à son voyage dans l'Ouest canadien. Il a réalisé son projet, mais au lieu de rester un an, il est revenu après un mois. Il avait atteint son objectif et souhaitait revenir à mes côtés. À son retour, notre relation a connu une tournure significative et notre engagement s'est approfondi. Et un soir, après un an et demi de fréquentations, nous avons décidé impulsivement d'aller vivre ensemble. Le lendemain, nous louions notre premier appartement. Certes, l'adaptation à la vie commune a été très difficile; elle a coïncidé avec ma phase hypocondriaque et le début de mes malaises physiques.

Je crois que le secret de notre réussite repose sur le fait que nous n'avions pas construit de scénario idéal pour notre vie future. Nous nous contentions d'apprécier les bons moments au jour le jour et de composer avec les conflits à mesure qu'ils se présentaient. Dès le début, André savait que je ne voulais pas d'enfants. Comme la plupart des gens, il avait envisagé un jour en avoir, mais sans trop savoir pourquoi. Il a très bien accepté ma décision et il n'a jamais remis en cause notre relation sur la seule question des enfants.

Notre amour n'a cessé de grandir. Nous avons vécu toute la gamme des émotions, mais jamais l'ennui. Nous avons toujours su garder la vitalité dans notre couple. Nous avons la chance d'avoir, en général, les mêmes goûts et les mêmes valeurs. Étant tous les deux actifs, nous partageons plusieurs activités comme la randonnée en montagne, le vélo, le ski de fond, le ski alpin, le canot, la natation et, pendant longtemps, nous avons joué au tennis. Toutes les fins de semaine, nous partons avec notre sac à dos et notre chien explorer des montagnes ou de nouveaux sentiers. Nous sommes presque de même calibre dans nos activités, ce qui fait qu'il n'y a aucun sexisme dans notre relation comme on voit si souvent chez plusieurs couples: la fille se plaint qu'elle a mal aux pieds ou qu'elle se fait piquer pendant que le gars rêve à sa prochaine randonnée avec ses copains!

Certains couples partagent des activités sans pour autant les apprécier à cause d'un manque d'affinités. Ils préfèrent volontiers se retrouver parmi leurs semblables. Ils se contentent de faire l'amour et ils s'offrent à l'occasion des petits soupers au restaurant ou une soirée au cinéma. Le reste de leur temps est partagé entre le travail, les tâches ménagères et l'éducation des enfants.

Mes propos sont sarcastiques mais réalistes, bien que je sois consciente que tous les couples ne sont pas ainsi. Nous avons construit, André et moi, une vie à la hauteur de nos aspirations en fonction de nos valeurs. Nous avons choisi un environnement qui nous permet de nous adonner à nos activités de plein air tout en profitant d'une qualité de vie incomparable. Notre mode de vie est basé sur nos valeurs: alimentation végétarienne, maison saine, lectures spirituelles, etc. Même si l'harmonie ne règne pas toujours parfaitement dans notre foyer, la vie que nous nous sommes créée nous ramène à notre essence, ce qui rend les petites querelles bien insignifiantes.

Bref, ma philosophie du couple a changé. Je crois maintenant que la vie commune est une des meilleures occasions d'évolution, car elle demande une négociation constante entre la satisfaction de ses propres besoins et de ceux de l'autre. Le conjoint est souvent notre propre miroir. Ses comportements qui nous sont si désagréables nous amènent à lâcher prise, car toute tentative pour changer l'autre est vouée à l'échec. Personnellement, ma relation avec André m'amène beaucoup à travailler mon contrôle de soi et mon détachement.

Ma plus grande difficulté a été d'accepter inconditionnellement André. Ce qui me fait le plus réagir, c'est son impulsivité et son manque de continuité. De nature curieuse et spontanée, il est doué d'une grande flexibilité et d'une grande capacité d'adaptation. Mais comme il est influençable, il est facilement attiré vers des gens et des expériences qui ne s'avèrent pas toujours favorables. Étant moi-même d'une nature intuitive et contrôlante, je suis portée à vouloir le protéger, ce qui m'amène à lui imposer mes idées et mes valeurs. Cela l'amène à réfléchir et à faire des remises en question, mais cela ne l'empêche pas de faire son propre cheminement et de tirer des leçons de ses succès et de ses erreurs.

J'apprends à respecter son cheminement et à accepter qu'il soit différent du mien. Ce que je trouve le plus difficile, c'est de constater que nous partageons les mêmes valeurs tout en ayant une façon différente de les vivre. J'intègre davantage mes valeurs dans mon quotidien à travers mes habitudes de vie, tandis qu'André les oriente vers une action sociale à travers son travail et parfois au détriment de sa vie personnelle.

Avec les années, je prends de plus en plus conscience de l'effet miroir entre André et moi. Ses traits de caractère qui m'irritent le plus sont en fait des aspects de moi que je n'ose pas reconnaître et exprimer, comme mon côté artistique et bohème. Par exemple, André est journaliste et éditeur d'une revue sur les maisons saines. Ses activités professionnelles se partagent entre la planification et la gestion de sa revue, la collaboration avec des revues et des journaux, ainsi que l'organisation de cours et de consultations. Son emploi du temps est très chargé et comme son travail s'inscrit dans un processus créateur, André est facilement distrait, voire lunatique. Sa passion pour sa mission l'enferme souvent dans sa bulle, ce qui a pour effet de nous éloigner l'un de l'autre.

Lorsque mon travail portait uniquement sur la psychoéducation en milieu scolaire, je reprochais à André de ne pas faire suffisamment d'efforts pour décrocher de ses pensées et revenir à sa vie de couple. Je me vantais de pouvoir réussir à me détacher d'un travail aussi stressant que le mien pour me centrer sur ma vie personnelle. Depuis que je suis auteure, je comprends que l'on puisse s'évader dans un monde imaginaire où les idées virevoltent constamment et ne se manifestent pas toujours sur commande. La porte de la créativité est constamment ouverte et il faut beaucoup de discipline mentale pour contrôler ce processus. En travaillant sur mon livre, j'ai ressenti de la compassion envers André qui publie plusieurs numéros de sa revue chaque année. Je me suis souvent laissée emporter dans une ébullition créative, ancrée dans le monde de mes idées. Et lui, de son côté, a souffert de me voir si absorbée par mon projet, puisque je le ramène normalement à l'ordre. Il a, lui aussi, ressenti de l'empathie face à ce que je ressens quand il est dans cet état.

Son insouciance, sa grande sociabilité et son ouverture d'esprit sont d'autres aspects de sa personnalité qui font miroiter mes peurs. André est une personne qui fait naturellement confiance à la vie et aux gens; il ne sent pas le besoin de tout contrôler comme moi. Il accepte facilement de remettre ses idées ou ses projets en question devant une proposition qui lui semble raisonnable. Ma peur qu'il se fasse avoir me renvoie à ma difficulté de m'ouvrir à la nouveauté et à l'inconnu. Son caractère me fait beaucoup travailler mon besoin de contrôle, ma rigidité et, surtout, ma peur que mon monde ne s'écroule à nouveau.

Pour moi, le couple idéal est constitué de deux personnes autonomes sur le plan affectif, qui cherchent à construire un but commun et non pas à combler un manque. Chacun poursuit ses propres objectifs personnels et professionnels tout en bénéficiant du soutien de l'autre, qui devient en quelque sorte un guide.

Le défi de notre couple consiste à développer une zone commune où nous nous rencontrons indépendamment du travail de l'autre. N'ayant pas d'enfants et étant tous deux très impliqués dans nos carrières respectives, il nous serait facile d'emprunter des routes parallèles qui se rejoignent difficilement. Nous pourrions très bien vivre ainsi en nous soutenant mutuellement dans nos activités professionnelles et en échangeant sur nos défis personnels, mais tôt ou tard, nous risquerions de nous perdre au profit de nos univers respectifs.

Voici, selon moi, les conditions idéales au développement d'une relation de couple saine et enrichissante. Je me suis inspirée des valeurs que je tente de vivre dans mon quotidien.

1. **Entreprendre un cheminement personnel.** Chaque personne doit avoir le désir d'évoluer, c'est-à-dire de donner un sens à sa vie, indépendamment des objectifs qu'elle poursuit dans son travail.

2. **Exprimer ses émotions et ses besoins.** Il est important de ne pas compter sur son partenaire pour combler tous ses besoins, mais, lorsque cela est pertinent, il faut être capable de lui faire des demandes claires et réalistes.

3. **Être à l'écoute des émotions et des besoins de l'autre.** Encore une fois, il ne s'agit pas d'assumer les besoins et les émotions de son partenaire, mais plutôt d'en arriver à des compromis.

4. **Guider sans contrôler.** Chaque partenaire doit pouvoir refléter un comportement ou donner un conseil sans imposer de solutions.

5. **Écouter sans juger.** Il s'agit d'accueillir les émotions de l'autre avec empathie tout en gardant un certain détachement.

6. **Éviter d'interpréter une situation avant de vérifier ses perceptions.** Souvent, on attribue à l'autre de fausses intentions, de là l'importance de faire quelques vérifications...

7. **Faire de ses relations sexuelles un moment d'intimité basé sur la complicité, le jeu, le partage de son corps et de son âme.** La sexualité n'est pas une activité de défoulement permettant d'évacuer une tension.

8. **Prendre la responsabilité de ses actions et de ses choix.** Par exemple, si l'on décide de rester à la maison pour élever ses enfants, plus tard, il ne faudra pas blâmer le conjoint pour ses frustrations.

9. **Équilibrer sa vie personnelle, sa vie sociale et sa vie de couple.** Il est essentiel de conserver ses activités et ses amis, tout en construisant une vie sociale en couple.

10. **Se garder des moments d'intimité avec soi-même pour faire le point.** L'idéal, c'est de pouvoir se retirer dans une pièce juste pour soi.

11. **Apprendre à dire les vraies choses tout en faisant preuve de diplomatie**. Il faut éviter de se cantonner dans les non-dits par peur de blesser l'autre.

12. **Accepter que les désaccords fassent partie de la vie**. Nous ne sommes pas obligés d'être toujours d'accord...

13. **Savoir se pardonner et pardonner à l'autre**. Il faut accepter de ne pas toujours être à la hauteur de la situation et éviter d'entretenir du ressentiment envers l'autre et envers soi-même. Certaines blessures peuvent nous amener à projeter nos frustrations sur notre partenaire, ce qui engendre des conflits. Apprendre à les reconnaître peut favoriser une acceptation mutuelle.

14. **Mettre de l'humour dans sa vie**. Le rire est un des indices principaux d'un couple en santé. Il est important de dédramatiser certaines situations et d'en rire. Cela nous permet de prendre du recul, ce qui ne veut pas dire de ne pas affronter les problèmes existants.

15. **Accepter de ne pas pouvoir tout partager**. Certains couples s'imposent la croyance qu'ils doivent accompagner leur conjoint dans toutes les occasions. On ne peut pas aimer tout ce que l'autre aime et s'y forcer ne fait qu'engendrer des conflits et de la frustration. Mieux vaut s'abstenir de certains moments ensemble, mais favoriser une relation de qualité, basée sur le respect des différences. Par exemple, une amie est parfois mieux placée pour nous comprendre que notre conjoint. Il ne faut pas en vouloir à ce dernier de ne pas toujours avoir le mot juste et l'attitude parfaite.

Chapitre 17

L'amitié

Pendant mon adolescence, j'ai eu la chance d'avoir des amis formidables. Comme j'ai fréquenté la même école privée pendant 11 ans, j'ai eu l'occasion de bâtir de solides relations avec mes camarades de classe. Je copinais également avec quelques garçons dont la plupart étudiaient dans des collèges privés.

Mes amis représentaient pour moi une deuxième famille. Nous passions des soirées entières au téléphone, à échanger sur nos vies amoureuses trépidantes. J'aimais bien passer des fins de semaine chez mes copines, dans une famille «normale» qui m'accueillait chaleureusement.

Avec les années, nous avons choisi des voies différentes. J'ai connu plusieurs copains au cours de ma vie, mais personne ne pourra remplacer mes amis d'école et de cégep, une époque que je n'oublierai jamais. Je me sentais écoutée et aimée pour qui j'étais. Le rire faisait partie de mon quotidien. À chacune de mes peines d'amour, mes amies étaient toujours là pour me réconforter et pour me changer les idées.

Depuis que je suis psychoéducatrice, beaucoup de gens voient davantage mon rôle que la personne que je suis. Je vis souvent des relations à sens unique. J'écoute et je donne des conseils comme j'ai toujours fait, mais je ne reçois pas la pareille. Je parle peu de moi, car j'ai tendance à penser que ça n'intéresse personne.

En partant du principe que l'on attire ce que l'on pense, j'ai compris pourquoi j'induisais ce genre de relations à sens unique, car je reproduisais le scénario de mon enfance, qui consistait à aider et à soutenir ma famille, croyant devoir mériter ma place. Je me pensais obligée d'adopter un rôle, qui consistait à me rendre utile pour être aimée. Cette réalité est même inscrite dans mon groupe sanguin O: je peux donner mon sang à tous les autres groupes, mais je ne peux en recevoir que des gens du groupe O.

Depuis cette prise de conscience, ma vie sociale a beaucoup changé. J'ai fait un grand ménage dans mes amis. Je n'accepte plus de n'être qu'une grande oreille. La trentaine, pour la plupart des gens, est une période très intense où la carrière et la vie de famille se chevauchent. L'univers des gens est centré sur leurs enfants et tout ce qui en découle. Ils deviennent sérieux, préoccupés, stressés. Ils courent et ont peu de temps pour leurs amis. Ils fréquentent davantage des couples avec enfants, car ils y voient plus d'affinités.

J'ai connu quelques amis dans la cinquantaine et j'ai remarqué qu'à cet âge, les gens semblent revivre une deuxième adolescence. Les enfants sont partis ou très autonomes, la carrière s'achève et ne constitue plus la même source de stress. Les gens deviennent plus disponibles, rêveurs et créatifs. Ils remettent leur vie en question.

Ce que je recherche présentement, c'est la qualité sur le plan de l'échange, c'est-à-dire une certaine équité entre ce que je donne et ce que je reçois. Je recherche des personnes qui ont les mêmes valeurs que moi. J'aimerais rencontrer davantage de gens avec lesquels je peux échanger sur l'alimentation saine, la spiritualité et la psychologie.

Je crois que la meilleure façon d'attirer des amis de qualité, avec lesquels on peut évoluer, c'est de développer les qualités que l'on souhaite attirer. Comme je le mentionnais auparavant, nos pensées sont des aimants qui attirent des circonstances similaires.

Pour créer des relations plus enrichissantes, je dois adopter la croyance que je n'ai pas nécessairement besoin de donner pour recevoir, que je peux être aimée pour ce que je suis, et non seulement pour ce que j'ai à offrir. J'accepte maintenant que les amis ne sont pas éternels, qu'ils se présentent sur notre chemin au moment où nous en avons besoin pour évoluer. L'important, c'est de retirer une leçon de chaque relation.

J'ai longtemps attendu que la vie m'apporte de nouveaux amis en croyant que l'idéal serait de rencontrer de nouvelles personnes avec qui je partagerais mes valeurs. Je voyais mes amis d'enfance comme appartenant à une autre époque et partis à tout jamais vers une autre direction. Puis, un jour, j'ai pensé à ma meilleure amie au cégep, amie que je n'avais pas vue depuis dix ans. J'avais tout partagé avec elle: mes études, mes joies, mes peines, mes amours, mes folies, mes rêves... mais l'orgueil nous avait séparées.

Il m'arrivait souvent de penser à elle avec nostalgie jusqu'au jour où j'ai rencontré dans mon bureau une étudiante dans la quarantaine qui m'a fait part de ses retrouvailles avec une grande amie d'enfance. Elle avait fait de longues recherches pour retrouver sa précieuse amie, qui l'avait accueillie à bras ouverts. Devant son enthousiasme, je me suis mise à penser à cette amie chère que j'avais perdue et que je n'osais pas rappeler par orgueil. J'ai compris que la vie m'envoyait un signe. J'ai attendu quelques jours, puis, un soir, j'ai eu la forte impulsion de lui téléphoner. J'ai d'abord joint sa mère, qui m'a fait un accueil émouvant en me disant qu'elle pensait à moi tous les jours et que sa fille se mourait d'avoir de mes nouvelles. Je me suis donc empressée de lui téléphoner et nous nous sommes retrouvées avec la même joie et la même intensité qui nous avaient accompagnées tout au long de notre adolescence. Notre amitié a été réactivée sur-le-champ et nous nous sommes promis de ne plus jamais nous quitter.

Cette expérience m'a aidée à comprendre que de renier le passé n'est pas une solution pour attirer de la nouveauté dans sa vie. J'ai développé la capacité de me couper facilement du passé et de ne jamais revenir en arrière. Il va sans dire que les nombreuses pertes que j'ai vécues m'ont amenée à adopter une telle attitude qui contribue à la fermeture de mon cœur.

J'ai aussi compris que le fondement d'une grande amitié ne repose pas seulement sur un mode de vie semblable basé sur les mêmes valeurs et les mêmes intérêts. L'important, c'est de se rejoindre au niveau du cœur en se créant un univers commun basé sur l'échange et la complicité.

Chapitre 18

Comment gérer ses peurs

Les peurs constituent sûrement le virus le plus virulent qui empoisonne nos existences. Chacun d'entre nous possède son lot de peurs plus ou moins intenses et nombreuses, selon son vécu et ses blessures. Même si nos peurs représentent le plus grand obstacle à notre bonheur, elles ont pour fonction de nous protéger contre d'éventuelles menaces en nous mettant aux aguets. C'est d'ailleurs pourquoi nous avons tellement de difficulté à nous en départir.

Pour atteindre la paix intérieure et la sérénité, nous devons apprivoiser nos peurs, les atténuer, prendre du recul, afin de laisser la joie émerger dans notre cœur. Chacun a sa propre histoire et les peurs sont souvent reliées à des traumatismes d'enfance. Par contre, je me suis rendu compte, à partir de mon expérience personnelle et professionnelle, que certaines peurs sont présentes chez presque tous les êtres humains à divers degrés. Dans les pages qui suivent, je les aborde plus en détail.

La peur de l'inconnu

La plupart des gens recherchent une sécurité, des points de repère leur donnant l'illusion de contrôler leur vie. Je crois que nous pouvons avoir un certain contrôle sur notre vie, d'abord sur nos pensées et nos réactions face à certains événements ; par contre, la vie comporte des réalités, par exemple le vieillissement et la mort, devant lesquelles notre pouvoir est limité. La mort représente la destination inconnue par excellence, et ce, pour chacun de nous. En fait, la peur de la mort provoque souvent deux réactions opposées : pour échapper à l'angoisse qu'elle suscite, plusieurs tentent d'apporter à leur vie un caractère prévisible en évitant de courir des risques pouvant les amener sur des routes peu fréquentées ; d'autres, au contraire, vont défier la mort en courant de grands risques et en s'aventurant hors des sentiers battus.

Pour ma part, j'ai adopté les deux attitudes. Adolescente, je rêvais d'aventure et de voyage. Je goûtais pleinement à la vie en vibrant au moment présent. J'aimais les risques et je recherchais les sensations fortes ; par exemple, je dévalais les pentes de ski comme si je m'entraînais pour une compétition olympique. Je rêvais de sauter en parachute et de faire le tour du monde. J'aimais les imprévus et ma mère, qui était impulsive, répondait très bien à mon tempérament.

Je n'avais peur de rien, j'accueillais la nouveauté avec enthousiasme... jusqu'au jour où ma vie s'est écroulée en quelques minutes. C'est en voyant ma mère étendue sur le plancher, morte, que j'ai compris que ma vie ne serait plus jamais la même. Avec les deux autres deuils (ceux de mon père et de ma sœur) qui ont suivi, j'ai adopté une attitude d'hypervigilance face à la vie. C'est d'ailleurs ce qui explique ma période hypocondriaque, qui s'est manifestée deux ans après la mort de ma mère. J'exorcisais ma peur de la mort et de perdre à nouveau un être cher à travers ma peur d'être atteinte d'une maladie incurable. Les angoisses que je vivais chaque fois qu'un nouveau symptôme apparaissait me mettaient en contact avec le deuil de ma mère, que j'avais jusqu'alors bloqué pour survivre. J'ai compris par la suite que le fait d'être aux aguets du moindre malaise me donnait l'impression de prévenir la maladie. Ainsi, la vie ne pouvait pas me surprendre puisque j'étais à l'écoute. En fait, ce qui m'avait le plus foudroyée dans le décès de ma mère, c'était l'aspect brutal et inattendu de l'événement. Mon but était donc de tenter de prévoir l'imprévisible. Je continuais à me promener avec un bouclier alors que la guerre était terminée !

On voit souvent, chez les gens qui ont vécu un traumatisme, plusieurs peurs dont celle de l'inconnu. Ceux-ci évitent les surprises et, pour ce faire, ils adoptent une vie routinière. Je dois avouer que mon style de vie répond à un besoin de sécurité et de contrôle inné en moi. Je recherche la stabilité, mais en même temps, je n'exclus pas la créativité de ma vie. Depuis quelques années, je commence à retrouver un certain goût pour l'aventure et la nouveauté, mais j'ai encore de la difficulté à composer avec les imprévus.

La peur du bonheur

Cette tendance à vouloir tout contrôler et tout prévoir m'empêche souvent de jouir pleinement du moment présent. Il m'arrive d'avoir des pincements au cœur dans des instants d'intense bonheur, alors que je prends conscience des nombreuses bénédictions qui enrichissent ma vie. Par exemple, lorsque mon conjoint me regarde dans les yeux avec tendresse et amour, je ressens une angoisse comme si ce bonheur pouvait disparaître. Je ne crains pas la séparation, puisque je sais que mon couple est très solide, mais j'ai peur qu'André meure. D'ailleurs, il m'a fait remarquer que, souvent, lorsqu'il s'apprête à partir quelques jours à l'extérieur, je deviens froide et distante comme si je voulais me détacher au cas où un malheur se produirait. Après son départ, je me sens coupable de mon manque de chaleur et je me dis que je le regretterais toute ma vie s'il mourait.

Peu à peu, j'ai réussi à me sortir de cette torture mentale, souvent inconsciente. La première étape a consisté à ressentir cette peur de perdre André. Comme il est très ponctuel et fiable de nature, je n'ai presque jamais à m'inquiéter car s'il est en retard, il me téléphone aussitôt pour m'en aviser. Mais en de rares occasions, il n'annonce pas son retard par oubli ou par malentendu. Je me sens alors prise d'une terrible angoisse, comme si un drame s'était produit. Les premiers temps, la panique s'emparait de moi, car j'étais incapable de rationaliser la situation. Après avoir vécu cette expérience à quelques reprises, j'ai compris que les imprévus n'étaient pas toujours reliés à des tragédies et que je vivais ces événements pour apprivoiser ma peur et pour apprendre à la gérer.

Je crois que le meilleur moyen de vaincre toute peur est d'avoir confiance en la vie, même si ce n'est pas toujours facile. Pour ma part, avec du recul, je réussis à donner un sens aux épreuves de mon passé et à comprendre en quoi ces événements ont contribué favorablement à mon évolution. J'ai pu aussi constater que même lors des pires épreuves, il y a toujours eu des gens autour de moi pour me soutenir. J'ai compris que l'anticipation d'une situation dramatique est souvent pire que la réalité. Par exemple, très jeune, je ne pouvais imaginer que ma mère mourrait un jour. Je me voyais incapable de vivre sans elle. Pourtant, lorsque j'ai été témoin de sa mort, j'ai trouvé la force de traverser cette dure épreuve. Je me suis sentie branchée sur une énergie puissante, ce qui m'a permis de fonctionner normalement. La vie m'a toujours donné les ressources et les outils pour me sortir de toute situation, aussi pénible soit-elle.

Maintenant, lorsque j'anticipe une situation dramatique, je me réfère à ces expériences qui me confirment que je peux surmonter n'importe quoi et que l'Univers m'aide et me protège. Malgré tout, je demeure une personne très contrôlante, mais sans être rigide. J'ai établi avec les années un équilibre entre mon besoin de contrôler et de lâcher prise ainsi qu'une grande foi en la vie.

Ma philosophie est basée sur le principe que nos pensées et nos actions créent notre réalité. Je crois qu'on récolte dans le futur ce que l'on sème au présent. L'Univers met sur notre chemin des gens, des événements et des connaissances pour nous aider à mieux orchestrer notre vie. Nous sommes ensuite libres de les utiliser comme bon nous semble. Par exemple, mes migraines m'ont permis d'approfondir la connaissance de moi-même et de découvrir les moyens pour y remédier. J'ai opté pour les options naturelles, tandis que d'autres préfèrent consommer des médicaments ou encore se cantonner dans un rôle de victime. Nous avons le choix de nos réactions face aux événements.

Je considère maintenant que j'exerce un contrôle positif sur ma vie, en ce sens que j'utilise mes connaissances pour conserver une bonne santé physique et mentale. C'est pourquoi j'ai créé un mode de vie adapté à mes besoins, ce qui me permet de ressentir un équilibre dans tous les aspects de ma vie: physique, psychologique et spirituel. Je suis parfaitement consciente que, malgré tous les efforts que je fais pour maintenir une santé optimale, rien ne me garantit que je ne serai jamais malade ou que je ne mourrai pas prématurément d'un accident. Par contre, ce mode de vie a eu l'effet d'une fontaine de Jouvence, en ce sens que, chaque année, j'ai l'impression de rajeunir puisqu'en cheminant j'acquiers des connaissances, une plus grande sagesse et une paix plus profonde. Mon but n'est pas de lutter contre la mort, même si je veux vivre jusqu'à 100 ans, mais de maximiser mon énergie vitale chaque instant afin de mieux accomplir ma mission.

Mon plus grand défi consiste à lâcher prise et à accepter l'incertitude. Je tente toujours d'agir au mieux de ma connaissance, de ne jamais remettre à plus tard ce que je peux faire aujourd'hui et de vivre pleinement le moment présent. J'essaie d'éliminer le regret de ma vie en réfléchissant avant d'agir et je me demande souvent quelles seraient mes actions si ma vie tirait à sa fin; je ne laisse jamais traîner les problèmes et je ne tarde jamais à régler une situation. Mon but premier est de cultiver la paix intérieure et la sérénité.

Chapitre 19

Ma conception du bonheur

Le bonheur, pour moi, est d'abord un état intérieur de plénitude et de joie qui demande de lâcher prise face à la vie. Je considère que certaines personnes sont naturellement prédisposées à être heureuses. Je crois aussi qu'il existe des conditions facilitantes au bonheur:

– Être à l'écoute de son monde intérieur: ses émotions, ses pensées et ses intuitions;

– Accepter ce que l'on vit sans se juger;

– Se permettre de vibrer, tant dans la joie que dans la peine, en s'exprimant librement;

– Se montrer complice envers soi-même;

– Diminuer ses attentes envers les autres et les événements;

– Goûter au plaisir de donner et de recevoir, toujours sans attentes;

– Avoir une confiance inébranlable en la vie, en sachant que chaque événement est une occasion d'évoluer et de grandir;

– Accepter de ne pas tout comprendre;

– Savoir accueillir la nouveauté et les imprévus;

– Rire de soi: ne pas se prendre au sérieux;

– Se fixer des buts en acceptant que la vie propose parfois un autre parcours;

– Développer sa flexibilité;

– Vivre pleinement le moment présent;

– Faire preuve de compassion envers soi-même et les autres tout en restant détaché;

– Savoir se pardonner et pardonner aux autres;

– Pouvoir s'émerveiller.

Je crois que je suis née avec une joie de vivre naturelle. J'ai toujours été une personne spontanée, débordante d'enthousiasme et de vitalité. J'ai vécu au cours de ma vie des périodes de souffrance et de désillusion qui ont eu pour effet d'atténuer ma flamme intérieure. Il m'arrive parfois encore de traverser des périodes plus sombres où je me sens comme un petit robot, sans pour autant être déprimée. Ma plus grande difficulté face au bonheur? Abandonner ma tendance à contrôler et à analyser tout ce que je vis.

Avec les années, j'ai développé de l'amertume et de la méfiance face à la vie. Malgré mon cheminement, je conserve une certaine crainte qui m'empêche de jouir pleinement de tous les cadeaux que la vie m'offre de peur qu'elle me les enlève. Les personnes qui ont vécu comme moi des traumatismes se promènent souvent avec un bouclier. Elles se préparent ainsi à affronter les éventuelles épreuves, ce qui les empêche d'apprécier pleinement leur vie. Elles ont peur de recevoir par peur de perdre.

Par ailleurs, mon régime de vie me permet de maintenir un équilibre et me procure une grande satisfaction. Je suis fière de ma discipline et de ma volonté. On peut accomplir des actions qui nous rendent fiers et faire des activités agréables sans pour autant être heureux. Mon plus grand défi consiste à être heureuse. Je pose beaucoup d'actions qui contribuent à mon bien-être. J'ai appris à me dorloter, à écouter mes besoins. J'ai choisi de vivre dans un paradis de nature en prenant soin de mon corps et de mon âme. J'ai appris à dire non. Il me reste à apprendre à dire oui, oui à la vie, en acceptant de me laisser bercer par le courant.

CINQUIÈME PARTIE

L'intégration de mes valeurs au quotidien

Chapitre 20

Un mode de vie basé sur l'équilibre

Ce que j'ai à vous proposer ne conviendra peut-être pas à tout le monde. Certains trouveront ma façon de vivre trop rigide ou tout à fait irréaliste, surtout s'ils ont des enfants, mais c'est un modèle qui peut en inspirer plusieurs et qui a comme objectif de composer un quotidien basé sur l'équilibre et le bien-être.

La première étape consiste à cerner ses besoins et ses priorités, en fonction de son travail, de son environnement et de son entourage. Pour ma part, je travaille en relation d'aide. Je passe ma journée à écouter, à analyser et à donner des conseils, et ce, la plupart du temps assise à mon bureau ou debout devant un groupe. On peut dire que j'accomplis un travail sédentaire. Comme j'ai un grand besoin de m'activer, je me réserve des périodes d'exercices au cours de la journée.

J'absorbe énormément d'énergie dans une journée par le discours souvent négatif des gens que je rencontre. Même si je considère ce travail comme très valorisant et, la plupart du temps, très énergisant, je ressens un besoin de ventiler, de m'exprimer et de me nettoyer à la fin d'une journée. Je m'accorde quotidiennement des moments pour liquider mes émotions, pour faire le vide et le plein.

Évidemment, si je veux conserver mon excellente santé et ma pleine vitalité, mon régime alimentaire, dont j'ai abondamment parlé précédemment, devient essentiel à mon bon fonctionnement.

Voici donc comment s'intègre ce mode de vie basé sur l'équilibre de mes différents besoins sur une base quotidienne. Commençons par la semaine.

N'ayant pas besoin de beaucoup de sommeil, je me lève avant que mon réveille-matin sonne, soit vers 5 h. Je bois une tasse d'eau chaude bouillie avec un citron pressé, ce qui nettoie le système lymphatique et stimule le système digestif, un petit truc qui m'a grandement aidée à régler ma constipation.

Après avoir promené mon chien, je médite 20 minutes dans ma salle de méditation. Je prends alors contact avec mon état d'esprit, que j'ajuste aux préoccupations de ma journée. Il m'arrive aussi d'écrire mes rêves, qui sont souvent réactivés en période de méditation.

J'enfile ensuite des vêtements d'exercice et je sors mon tapis pour faire mes exercices d'échauffement et d'étirement; puis, je fais du yoga pendant une demi-heure au son d'une musique nouvel âge.

Il est environ 6 h quand je m'apprête à manger. J'ai dû récemment faire le deuil du délicieux déjeuner que je savourais chaque matin. Il était composé d'une variété de céréales, de noix et de graines. J'étais particulièrement fière de ce mélange car, en plus d'être délicieux, il était très nutritif. Après une visite chez une spécialiste en nutrition et en naturopathie, j'ai décidé de ne plus mélanger les céréales et de varier mes déjeuners. Celle-ci soutient que le fait de mélanger une diversité de céréales au même repas risque éventuellement de provoquer des intolérances ou des allergies à ces céréales.

Je varie maintenant mes déjeuners d'un matin à l'autre: muffins maison à l'épeautre bio et aux fruits des champs; gruau de sarrasin à la caroube et aux noix de Grenoble; pain aux raisins (que je fais moi-même) avec du beurre d'amandes et une demi-banane;

galettes de sarrasin et cannelle aux fruits séchés. Je mange encore des céréales deux ou trois fois par semaine, mais sans en mélanger plus de deux à la fois, par exemple, flocons de riz et millet ou flocons de kamut et flocons d'épeautre. Je me fais aussi régulièrement un déjeuner laxatif pour les jours où ma digestion est plus lente. Ce mélange liquide est composé de quelques pruneaux qui ont trempé dans l'eau toute la nuit et que je broie au mélangeur avec une demi-banane bien mûre, une poire, des graines de lin, un peu de flocons d'épeautre ou de kamut et de la poudre de caroube. Ce mélange est délicieux, en plus d'être doté de vertus thérapeutiques.

Je fais ensuite 8 km de vélo stationnaire pendant 15 minutes en lisant un livre de spiritualité ou de psychologie. Il est merveilleux de pouvoir nourrir son esprit tout en permettant à son corps de s'activer! Je prends une bonne douche bien appréciée, puis un bon thé vert de culture biologique dans lequel infuse une petite branche de sapin qui donne un goût délicieux en plus d'être bactéricide.

Je m'en vais de la maison vers 8 h en faisant ma prière. Je demande toujours la protection sur la route pour ensuite exprimer à Dieu ma reconnaissance envers les bénédictions que j'ai reçues depuis 24 heures. Je demande pardon pour mes pensées et mes actions négatives et je fais mes demandes pour la journée. Je mets surtout l'accent sur l'essence plutôt que sur le contenu. Par exemple, je demande de ressentir la paix et le calme, d'être guidée dans chacune de mes interventions, d'avoir un juste équilibre entre la compassion et le détachement, d'être à l'écoute de mes intuitions et des coïncidences. Je cible ensuite des événements précis pour lesquels j'ai besoin d'une aide particulière.

J'arrive au travail vers 8 h 30. Après avoir pris mon courrier et salué quelques collègues, je me rends à mon bureau. Je fais jouer de la musique classique et j'écris ce que je ressens dans mon journal intime. J'apporte toujours avec moi un des trois livres de Sanaya Roman: *Choisir la joie*, *Choisir la conscience* ou *Choisir l'éveil*. Chaque matin, je choisis une page au hasard après avoir demandé le message de la journée et j'écris le passage qui me tombe sous les yeux. Je tente ensuite de rester consciente de ce message à travers les situations que je vis dans la journée. Il s'agit pour moi d'un moment privilégié qui me permet de me centrer et d'accéder à mon essence en donnant un sens à ma journée et en me préparant aux défis qui s'annoncent. J'ai remarqué une grande différence les jours où je ne prends pas le temps de m'accorder ce moment. Je suis alors plus à la merci des énergies extérieures et moins apte à relever les défis qui se présentent.

Je suis normalement en pleine forme au début de la journée. Je réussis à me concentrer parfaitement et mon humeur est généralement excellente. J'essaie d'apporter le plus d'amour possible dans l'écoute et les conseils que j'accorde à chaque personne que je rencontre.

Je vais dîner à 12 h 35. Quand il fait beau et chaud, je me rends à un étang entouré d'arbres centenaires à 10 minutes de marche de mon travail. J'y vais la plupart du temps seule ; parfois aussi une collègue m'accompagne. Je m'installe sur une grande serviette avec mon lunch composé principalement d'une grosse salade, qui contient des épinards ou de la laitue, des carottes râpées, des radis, du céleri, du poivron rouge, des betteraves, accompagnée de pousses de tournesol ou de sarrasin, parfois de thon ou de tofu ; s'ajoutent à cela des craquelins de seigle ou des galettes de riz avec une tartinade de pois chiches ou de végépâté. Je mange appuyée contre un arbre en regardant les canards glisser paisiblement sur l'eau pendant que les saules pleureurs trempent leur longue chevelure. Je me coupe ainsi complètement de mon travail ; j'ai même l'impression d'être en pique-nique pendant une journée de congé ! Je me considère comme extrêmement privilégiée d'avoir trouvé cette oasis où je peux me régénérer et m'enivrer de nature.

Les jours plus frais, je mange à la salle du personnel avec quelques collègues. J'apprécie les échanges qu'il y a entre eux car, malgré la différence de valeurs, je n'hésite pas à être moi-même en affirmant mes convictions sans pour autant les imposer. Lorsque j'ai davantage besoin de solitude, je mange seule dans mon bureau au son de ma musique classique en lisant une bonne revue.

Je vais toujours marcher une demi-heure même dans les temps les plus froids. J'ai un beau circuit, qui d'ailleurs passe par l'étang. Je reviens en forme. Ma marche m'a permis de me dégourdir les jambes et de ventiler mes idées. Je me sens remplie d'énergie pour terminer la journée.

J'ai choisi de ne pas méditer le soir car je me sentais toujours pressée et j'avais l'impression d'accomplir une corvée, d'autant plus que je fais souvent des courses après le travail.

Nous soupons tôt, vers 17 h 30. Le repas est essentiellement végétarien, mais nous mangeons occasionnellement du poisson. L'heure du souper est consacrée à notre retour sur notre journée que nous essayons de faire le plus spirituellement possible, c'est-à-dire que nous parlons des événements en termes de défis, en regardant les émotions que nous avons vécues et les leçons que nous en retirons.

Après le souper, nous allons marcher avec notre chienne dans la montagne derrière chez nous, pendant 45 minutes. Nous avons la chance d'avoir des sentiers utilisés essentiellement par nous et qui mènent à un petit lac sauvage. Ce bain de nature nous enivre par son odeur et la beauté du paysage.

Nous nous installons ensuite devant un bon film afin de faire le vide jusqu'à 21 h ou jusqu'à ce que le sommeil nous gagne. Nous lisons aussi parfois au lit au son d'une musique relaxante et au parfum d'une huile essentielle calmante émanant de notre diffuseur. Je dois avouer que j'aime beaucoup regarder des films, surtout ceux qui sont basés sur des faits vécus. Dans mon travail, je dois rester détachée de mes émotions face à la souffrance des autres; les films me permettent de sortir de mon rôle pour me brancher sur mes émotions et leur donner libre cours. Je ne suis pas d'une nature pleurnicheuse quand je vis des émotions fortes, mais les films dramatiques me mettent facilement la larme à l'œil, me permettant de libérer mes peines accumulées.

La fin de semaine est principalement composée d'activités de plein air. Voici à quoi ressemble notre vie quand nous la passons à la maison. Nous faisons toutes nos courses pendant la semaine afin d'avoir plus de temps pour nous durant le week-end. Le vendredi soir est généralement tranquille; nous en profitons pour nous reposer et faire le vide. Le samedi matin, nous faisons du ménage en écoutant de la musique. André et moi avons chacun nos étages; le partage des tâches est d'ailleurs très équitable. Ensuite, nous partons en randonnée, soit à pied en montagne, en vélo ou en ski de fond. De retour, nous faisons généralement une sieste pour évacuer la fatigue accumulée durant la semaine.

L'après-midi est souvent consacré à la lecture ou à une autre activité plus reposante. Par exemple, en été, nous nous prélassons sur notre quai pour lire, nous nous baignons et nous faisons du pédalo ou du canot. Si nous recevons des amis à souper, nous préparons le repas. Nous faisons une recette spéciale toutes les fins de semaine, même si nous n'avons pas d'invités. Ce souper est souvent plus élaboré que pendant la semaine et de plus longue durée. La marche est toujours au rendez-vous et nous la partageons avec nos invités, s'il y a lieu.

La soirée entre amis se partage entre des discussions animées et des jeux de société comme *Fais-moi un dessin*. Nous aimons beaucoup rire et jouer, car cela nous ramène au moment présent en nous éloignant de nos préoccupations quotidiennes. Si nous sommes seuls, nous regardons un bon film.

Le dimanche est notre journée de planification et de spiritualité. Le matin est encore consacré à une activité de plein air. Après dîner, nous cuisinons et nous planifions nos repas et notre liste d'épicerie, pour ensuite faire une petite sieste. Le reste de l'après-midi est réservé à la préparation spirituelle de notre semaine; pour ce faire, nous nous installons en silence et nous écrivons nos demandes de la semaine. À l'aide de nos trois livres de Sanaya Roman, nous demandons les messages de la semaine afin de nous inspirer et de nous guider dans nos actions. Il s'agit d'un moment très important pour moi et qui me permet de me brancher à ma source.

Afin de nous nettoyer des petits abus de la fin de semaine, le souper du dimanche se compose d'un jus fait de carottes biologiques et d'un jus de pomme; ces boissons tonifient le foie et la vésicule biliaire. Ils se digèrent très rapidement, en plus de favoriser l'élimination. Tout en prenant ce repas léger, nous partageons nos révélations de la semaine et nous nous fixons des objectifs.

Nous commençons notre journée du lundi en buvant des fruits broyés au mélangeur (et non à la centrifugeuse) afin d'en conserver toutes les vitamines. Par exemple, un jus pour une personne peut se composer d'une demi-banane, d'une poire, de fruits des champs comme des bleuets ou des framboises. On y ajoute un jus, par exemple «fruits de la passion». Nous ingurgitons ce mélange très lentement. Une heure plus tard, nous buvons un thé vert.

Nous partons quelques week-ends par année afin de nous ressourcer. À l'automne ou au printemps, nous nous gâtons avec une fin de semaine dans un centre de santé, où nous nous laissons dorloter. En hiver, nous passons quelques jours dans les meilleures stations de ski alpin ou de ski de fond. Enfin, au moins une fois par année, nous nous offrons une fin de semaine d'ateliers de croissance personnelle. Le reste du temps, nous assistons à des conférences de spiritualité ou de psychologie. Nous sommes membres du Club Québec conférences qui offre d'excellentes conférences mensuelles données par des personnalités de réputation internationale, et ce, à un prix modique. Bref, nos activités répondent à un équilibre entre notre corps et notre esprit.

Chaque mois, je me paye un traitement pour libérer mon corps des tensions accumulées et stimuler mon immunité. J'alterne entre l'acupuncture, l'ostéopathie et la chiropractie, selon mes besoins. Je me sens beaucoup plus détendue et énergisée, ce qui me permet de donner une meilleure performance au travail.

Quant à nos vacances, nous partons généralement deux semaines l'été, et, encore une fois, nous recherchons les endroits en pleine nature, mais qui nous permettent de nous dépayser. Nous aimons beaucoup la mer et nous aimons fréquenter les endroits comme la Gaspésie et l'Île-du-Prince-Édouard ainsi que les montagnes et le fleuve dans Charlevoix. Depuis quelques années, nous avons choisi de voyager au pays et d'investir dans l'embellissement de notre maison. Nous avons l'intention de recommencer un jour à voyager à l'étranger et d'en profiter pour donner des conférences dans nos domaines respectifs.

Comme je suis maintenant auteure, je dois intégrer dans ma routine des moments d'écriture. J'y consacre un ou deux soirs par semaine et quelques heures la fin de semaine. Comme le temps passe très vite quand on crée, je dois me discipliner pour ne pas trop en faire et conserver mon équilibre. Je comprends aujourd'hui les gens qui ont des enfants et qui courent après leur temps!

Ce mode de vie correspond parfaitement à mes besoins et je me sens désormais en parfait équilibre. Il va sans dire que la flexibilité est de mise. Je sais m'adapter à la nouveauté et je suis ouverte aux surprises ainsi qu'aux nouvelles rencontres. Je suis consciente que cette façon de vivre ne convient pas à tous et que l'important est de trouver celle qui nous interpelle.

Personnellement, depuis que j'applique ce mode de vie, je me sens beaucoup plus calme et sereine. Même si mes journées sont parfois tumultueuses, ces habitudes saines me permettent de faire à la fois le plein et le vide, et de rester centrée. Mon corps est un véhicule que je respecte énormément et qui remplit d'infinies fonctions. La moindre des choses que je puisse faire est de bien le nourrir et d'éviter qu'il soit surchargé. Ainsi, je m'assure de sa fiabilité et de son bon fonctionnement. La plupart des gens entretiennent mieux leur voiture que leur corps. Comme je le répète souvent à mes clients, une voiture peut avoir la meilleure carrosserie et le meilleur moteur du monde, si on ne vidange jamais l'huile et qu'on la prive d'essence, elle ne sera d'aucune utilité!

Voici les principes qu'il est important de retenir et qui peuvent s'appliquer à chacun d'entre vous.

1. Donnez à votre corps une nourriture pure, saine et naturelle.

2. Accordez-lui une période quotidienne d'exercices.

3. Créez des conditions favorables au sommeil.

4. Accordez-vous des moments de silence au cours de la journée pour faire le point avec vos pensées et vos émotions.

5. Ayez un livre de chevet pour nourrir votre esprit de pensées positives. Recherchez des auteurs qui vous inspirent et qui, par leurs écrits, apaisent votre âme.

6. Soyez en communication avec une source divine, que ce soit Dieu, un ange gardien ou des guides. Rendez grâce pour vos bénédictions et demandez la force d'affronter vos défis.

7. Écoutez votre intuition avant de prendre une décision.

8. Utilisez votre imagination pour visualiser vos rêves.

9. Filtrez vos pensées et choisissez des croyances favorables à votre évolution. Souvenez-vous: la pensée crée la réalité.

10. Écoutez une musique en accord avec vos activités.

11. Exprimez vos émotions. Évitez de les accumuler: «Ce qui ne s'exprime pas s'imprime.»

12. Entourez-vous de gens positifs qui vous acceptent et vous comprennent.

13. Recherchez des activités qui vous permettent de vous épanouir.

Conclusion

Ce livre vous a proposé une façon d'être en harmonie avec vous-même. Il n'a pas la prétention de vous donner la recette du bonheur car, à mon sens, elle n'existe pas. Le bonheur est une flamme qui existe déjà à l'intérieur de chacun de nous et que l'on doit entretenir si l'on veut qu'elle continue à briller et à nous réchauffer.

Le processus dont je vous ai fait part m'a permis de me nettoyer sur les plans physique, psychologique et spirituel, ce qui m'a rapproché de ma capacité à être heureuse.

Je suis consciente que les outils et le régime de vie qui sont proposés dans ces pages ne conviennent pas à tous. Mon but n'était pas de vous imposer une façon de penser et de vivre, mais bien de vous démontrer qu'il est possible de trouver un sens à ses épreuves et des moyens concrets pour améliorer sa santé sur tous les plans. Je crois qu'un bon moyen pour ce faire consiste à mettre en place un mode de vie englobant un régime alimentaire et un programme d'exercices convenant à nos besoins. Une fois le corps en équilibre, il est plus facile de s'occuper de sa vie spirituelle. Une routine quotidienne adoptée avec enthousiasme ne peut qu'améliorer notre vie, en nous assurant l'équilibre nécessaire pour affronter les divers défis de la vie.

Notre monde n'a jamais été aussi fertile en produits pour améliorer notre santé et en recettes pour atteindre la paix et le bonheur. Toutes les religions nous promettent l'éternité et presque aucune maladie ne serait à l'épreuve des produits naturels et des médecines douces. Certains se demanderont comment s'y retrouver et à qui faire confiance. Tant de théories, ne serait-ce qu'en alimentation, se contredisent! On commence même à faire des mises en garde sur certains produits naturels qu'on croyait inoffensifs. Plus les choix sont grands, plus la confusion s'installe.

Je suis loin de détenir la vérité, puisqu'à mon sens la Vérité absolue n'existe pas. La vie nous envoie seulement les épreuves que nous pouvons traverser. Pour chaque problème, il existe une solution. Nous devons apprendre à être à l'écoute de notre intuition, qui nous guide vers ce qui nous convient. La vie met toujours sur notre passage les ingrédients nécessaires pour construire notre vie, et c'est à nous de les reconnaître; il peut s'agir d'un livre, d'une personne, d'une vision. Notre intellect va nous permettre de comprendre, de vérifier, de valider nos intuitions. Avec les années, j'ai appris à faire confiance à ma petite voix intérieure et à me laisser guider par elle. S'il m'est parfois arrivé de la confondre avec mes peurs et mes désirs et de dévier temporairement de ma voie, j'y suis toujours revenue.

Je vous souhaite de trouver la voie qui vous conduira vers un mieux-être et une plus grande sérénité.

Bibliographie

ADAM LE ROCH, Stéphanie. «L'éclat du rire», *Guide ressources*, juillet-août 1996, p. 23-28.

AUBERT, Claude. «Sons du jardinage», *Mens*, janvier-février 2001; *www.terrevivante.org*.

BARIBEAU, Hélène. «Zoom sur la boisson de soya», *Guide ressources*, janvier 2000, p. 29-31.

BRIÈRE, Julie. «Êtes-vous un végétarien en manque?», *Guide ressources*, avril 1998, p. 34-38 et p. 52.

BRIÈRE, Julie. «La migraine alimentaire? mon cher Watson!», *Guide ressources*, octobre 1997, p. 52-54.

BRIÈRE, Julie et Françoise RUBY. «Le top 10 des résidus de pesticides», *Protégez-vous*, août 1996.

CAMLOT, Heather. «Un peu, beaucoup trop: le soja expliqué», *www.mokasofa.ca*.

CAMPBELL, Don. *L'effet Mozart*, Montréal, Le Jour éditeur, 1998.

CAMPBELL, Dr Finlay. *La migraine*, Saint-Lambert, Héritage, 1981.

CHAPUT, Mario. «Remplacez le café par le thé vert», *Top santé naturel*, vol. 8, nº 1, p. 9.

COIT, Lee. *Être à l'écoute de son guide intérieur*, Saint-Hubert, Les éditions Un monde différent, 1992.

CORMAN, Nelly. «Je mange donc je suis», *Guide ressources*, mars 1997, p. 26-27.

D'ADAMO, Peter J., N.D. *4 groupes sanguins, 4 modes de vie*, Neuilly-sur-Seine, Michel Lafon, 2002.

D'ADAMO, Peter J., N.D. *4 groupes sanguins, 4 régimes*, Montréal, Les éditions du Roseau, 1999.

DEPERNE, Jacques. «La thérapie de l'anti-douleur», *Guide ressources*, mai 1998.

DIONNE, Jean-Yves. «Le syndrome prémenstruel: malédiction ou incompréhension?», *Vitalité Québec*, octobre 1999, p. 34-35.

DUBOIS, Madeleen. *Comment contrôler sa pensée*, Outremont, Éditions Quebecor, 1995.

DUPUY, Ginette. «La chambre saine permet au corps de récupérer», *La maison du 21e siècle*, décembre 2000, p. 12-13; *www.21esiecle.qc.ca*.

GERMAIN, Jacqueline. «Le rire, c'est sérieux!», *Vivre*, vol. 2, nº 1, janvier 2002, p. 27.

GUÉNETTE, Lise. «Le thé vert», *La Vallée*, juin 2002, p.17.

FAUTEUX, André. «Pesticides et cancer: Sainte-Justine enquêtera», *La maison du 21e siècle*, vol. 1, nº 10, février 1995, p. 1-2; *www.21esiecle.qc.ca*.

FRAPPIER, Renée. *Le guide de l'alimentation saine et naturelle*, tome 1, Longueuil, Les éditions Maxam, Renée Frappier, 1987.

GAWAIN, Shakti. *Techniques de visualisation créatrice*, Suisse, Éditions Soleil, 1984.

HAURI, Peter et L. SHIRLEY. *Plus jamais de nuits blanches*, Montréal, Les éditions Logiques, 1998.

HÉBERT, Mona. «La cure de printemps, le grand ménage», *Guide ressources*, mai 1998, p. 13-20.

LABORIT, Henri. *La colombe assassinée*, Paris, Grasset et Fasquelle, 1983.

LEGAULT, Chantal. «Choisir bio au Québec», *Gazette officielle des thérapeutes*, 2001, p. 22-24.

LUCAS, M. «Suivez-vous le bon guide?», *Guide ressources*, mars 1997.

MARTEL, Jacques. *Le grand dictionnaire des malaises et maladies*, Québec, Les éditions Atma internationales, 1998.

MARTIN, Dr Kelly. «Environnemental Health Committee for Family Physicians: Dossier pesticides. Les pesticides et la santé», *Bio-Bulle*, n° 22, 1999.

MATHIEU, Luc, N.D. «À la rescousse du système immunitaire», *Top santé*, vol. 7, n° 8, décembre-janvier 1999, p. 26.

MELON, Jacques et Jean DORION. Maux de tête et migraines: les comprendre, les vaincre, Montréal, Les éditions de l'Homme, 1988.

MOISAN, Hubert. «Les dangers secrets du soya», *Journal Vert*, automne-hiver 2002, p. 8-9.

O'SHAUGHNESSY, Micheline. «Prévenir les cancers hormono-dépendants», *L'émeraude plus*, vol. 1, n° 5, mai-juin 2002.

OUELLET, Christine. «L'agriculture biologique, une meilleure qualité nutritive?», *Bio-Bulle*, n° 22, 1999.

PIUZE, Simone. «Écrire l'histoire de sa vie», *Guide ressources*, juillet-août 1999.

POMERLEAU, René. «L'huile d'onagre», *Top santé*, octobre 1999, p. 10.

ROMAN, Sanaya. *Choisir la conscience*, Sarzeau, Ronan Denniel, 1986.

ROMAN, Sanaya. *Choisir la joie*, Sarzeau, Ronan Denniel, 1986.

ROMAN, Sanaya. *Choisir l'éveil*, Sarzeau, Ronan Denniel, 1989.

SALOMÉ, Jacques. «Psyché et cie, synchronicité», *Guide ressources*, novembre 1998, p. 10.

STEINMAN, Dr D. et Dr S. EPSTEIN. *The Safe Shopper's Bible: A Consumer's Guide to Non Toxic Household Products, Cosmetics and Food*, New York, Macmillan, 1995.

SWAMI VISHNU-DEVANANDA. *Méditation et mantras*, Montréal et Val-Morin, Centres internationaux Sivannada de Yoga Vedanta, 1990.

TOLLE, Eckhart. *Le pouvoir du moment présent, guide d'éveil spirituel*, Montréal, Ariane, 2000.

TOLLE, Eckhart. *Mettre en pratique le pouvoir du moment présent*, Montréal, Ariane, 2002.

TREMBLAY, Céline. «Le lait, ni tout noir ni tout blanc», *Vie et Santé*, mai-juin 2002, p. 35.

VANIER, Paulette. «Un végétarien, ça mange quoi en hiver?», *Guide ressources*, mars 1992, p. 28-29.

VON BASH, Dr L., KUNZ-BIRCHER, R. et A. DUNZ-BIRCHER. *Maux de tête et migraines*, Neuchâtel et Paris, Victor Attinger, 1967.

Table des matières

Troisième partie
Les aspects psychologique et spirituel

Quatrième partie
Ma philosophie de vie:
mes valeurs et mes croyances

Cinquième partie
L'intégration de mes valeurs au quotidien